スピード合格！
介護福祉士直前対策'25

Contents

試験直前！　注目すべき法改正情報……… 2

ピンポイント　科目別レッスン…………… 9

領域Ⅰ：人間と社会

人間の尊厳と自立………………………………… 10

人間関係とコミュニケーション……………… 13

社会の理解………………………………………… 14

領域Ⅱ：介護

介護の基本………………………………………… 21

コミュニケーション技術……………………… 26

生活支援技術……………………………………… 28

介護過程…………………………………………… 30

領域Ⅲ：こころとからだのしくみ

こころとからだのしくみ……………………… 31

発達と老化の理解……………………………… 33

認知症の理解……………………………………… 38

障害の理解………………………………………… 40

領域Ⅳ：医療的ケア

医療的ケア………………………………………… 43

ヤマかけスペシャル　絶対でる問 75 題…… 45

領域Ⅰ：人間と社会

①人間の尊厳と自立…………………………… 46

②人間関係とコミュニケーション…………… 48

③社会の理解……………………………………… 50

領域Ⅱ：介護

④介護の基本……………………………………… 55

⑤コミュニケーション技術…………………… 60

⑥生活支援技術…………………………………… 62

⑦介護過程………………………………………… 70

領域Ⅲ：こころとからだのしくみ

⑧こころとからだのしくみ…………………… 73

⑨発達と老化の理解…………………………… 77

⑩認知症の理解…………………………………… 78

⑪障害の理解……………………………………… 81

領域Ⅳ：医療的ケア

⑫医療的ケア……………………………………… 84

でる問　解答と解説…………………………… 86

絶対でるキーワード 45…………………… 100

○×式　即答で鍛える……………………… 109

領域Ⅰ：人間と社会…………………………… 110

領域Ⅱ：介護……………………………………… 115

領域Ⅲ：こころとからだのしくみ………… 123

領域Ⅳ：医療的ケア…………………………… 130

総合問題…………………………………………… 132

※本書は、原則として 2024 年 8 月現在施行されている法令等に基づいて編集しています。

試験直前！注目すべき法改正情報

介護福祉士国家試験では、「社会の理解」「介護の基本」などの科目で、法制度に関する問題が必ず出題されます。この分野は多くの受験生が苦手とするところですが、この分野でいかに得点できるかということで合否が分かれる可能性があるともいえるわけです。

ここでは、第 37 回試験で出題が予想される法制度の改正情報をまとめ、さらに試験で出題が予想される例題・解説なども掲載しましたので、試験直前に必ず確認し、合格の可能性を確実に UP させましょう !!

2023（令和 5）年度介護保険法改正

該当科目 社会の理解・介護の基本

2023（令和 5）年 5 月に成立した「全世代対応型の持続可能な社会保障制度を構築するための健康保険法等の一部を改正する法律」は、こども･子育て支援の拡充、医療保険制度の基盤強化、医療･介護の連携機能強化等を推進するための改正法です。

関連する法律は健康保険法、高齢者の医療の確保に関する法律、介護保険法、医療法等ですが、ここでは介護保険関係の主な改正事項をまとめます。

改正内容	施行期日
1．**介護情報基盤の整備** ①介護保険者が利用者の介護情報を収集して電子的に閲覧できる介護情報基盤を整備し、利用者・介護事業者・医療機関等と共有・活用する事業を**市町村の地域支援事業**として位置づける。 ②市町村は、当該事業について、医療保険者等と共同して国民健康保険団体連合会、社会保険診療報酬支払基金に委託することができる。	公布（2023〔令和 5〕年 5 月 19 日）後 4 年以内の政令で定める日
2．**介護サービス事業者の財務状況等の見える化** ①介護サービス事業者に**詳細な財務状況等**の**都道府県知事への報告**を義務付け、政策立案に活用する。 ②都道府県知事が介護サービス事業者の経営情報に関する調査・分析を行い、**厚生労働大臣**は、国民にわかりやすくなるよう属性等に応じてグルーピングした分析結果を公表する。	2024（令和 6）年 4 月 1 日
3．**介護サービス事業所等における生産性の向上に資する取り組みに係る努力義務** ①都道府県を中心に一層の取り組みを推進するため、都道府県に対し、介護サービスを提供する事業所又は施設の生産性の向上に資する取り組みが促進されるよう努める旨の規定を新設する。 ②**都道府県介護保険事業支援計画**の任意記載事項に、介護サービス事業所等の生産性の向上に資する事業に関する事項を追加する。**市町村介護保険事業計画**についても都道府県と連携した取り組みに関する事項を追加する。	2024（令和 6）年 4 月 1 日
4．**看護小規模多機能型居宅介護のサービス内容の明確化** 看護小規模多機能型居宅介護を、複合型サービスの一類型として**法律**	2024（令和 6）年 4 月 1 日

上明確に位置づけ、更なる普及を進める。そのサービス内容について、サービス拠点での「通い」「泊まり」においても**看護サービス**（療養上の世話又は必要な診療の補助）を提供可能であることを明確化する。	
5．**地域包括支援センターの体制整備等** ①地域包括支援センターの**介護予防支援**について、**居宅介護支援事業所**も**市町村からの指定**を受けて実施可能とする。委託を受けた居宅介護支援事業所は、市町村や地域包括支援センターと連携をはかりながら実施する。 ②地域包括支援センターが行う**総合相談支援業務**について、その一部を居宅介護支援事業所等に委託することができる。	2024（令和６）年 ４月１日

一問一答

介護サービスを提供する事業所又は施設の生産性の向上をはかるため、市町村に対し、一層の取り組みが促進されるよう努力義務の規定が新設された。

×　努力義務化されたのは、都道府県に対してである。

居宅介護支援事業所は、地域包括支援センターの介護予防支援を行うことはできない。

×　居宅介護支援事業所は、市町村の指定を受けて、地域包括支援センターと連携をはかりながら介護予防支援を実施することができる。

過去問をチェック！

本試験ではこのように出ます！

介護保険法改正に関して、過去にも以下のように繰り返し出題されています。

●2020（令和２)年 改正	・地域共生社会の実現のための「**社会福祉法等の改正**」の一部として成立 ・市町村に重層的支援体制整備事業を創設 ・**医療・介護のデータ基盤の整備の推進**

次のうち、2020年（令和２年）の社会福祉法等の改正に関する記述として、最も適切なものを１つ選びなさい。（第34回〔2022年度〕問題８）

1　市町村による地域福祉計画の策定
2　入所施設の重点的な拡充
3　医療・介護のデータ基盤の整備の推進
4　市町村直営の介護サービス事業の整備拡充
5　ロボット等の機械の活用から人によるケアへの転換

正解　3

●2017（平成29)年 改正	・より所得が高い利用者を対象に３割の自己負担を導入 ・医療機能と生活支援機能を兼ね備えた介護医療院の創設 ・高齢者と障害者が同一の事務所でホームヘルプサービス、**デイサービス**、ショートステイを受けられるように**共生型サービス**を創設

2018年度（平成30年度）に創設された共生型サービスの対象となるサービスとして、正しいものを１つ選びなさい。（第32回〔2020年度〕問題13）

1　訪問看護
2　共同生活援助（グループホーム）
3　同行援護
4　通所介護（デイサービス）
5　通所リハビリテーション

正解　4

2023（令和５）年６月成立「認知症基本法」

該当科目 社会の理解・認知症の理解

認知症の人が**尊厳を保持**しつつ**希望をもって暮らすことができる**よう、認知症施策を総合的かつ計画的に推進することを目的として、「**共生社会の実現を推進するための認知症基本法**」（認知症基本法）が2023（令和５）年６月に成立し、2024（令和６）年１月１日に施行されました。

この法律はこれまでになかった府省を横断した認知症のための基本法です。認知症施策推進本部を**内閣**に置き、第３条に掲げられた基本理念のもと、認知症の人を含めた国民一人一人が相互に人格と個性を尊重しつつ支え合いながら共生する活力ある社会（共生社会）の実現に向けて国と地方が一体となって施策を講じていくことになります。

■認知症基本法の基本理念

1. 全ての**認知症の人**が、**基本的人権を享有する個人**として、**自らの意思**によって日常生活及び社会生活を営むことができるようにすること。
2. 国民が、共生社会の実現を推進するために必要な認知症に関する**正しい知識**及び認知症の人に関する**正しい理解**を深めることができるようにすること。
3. 認知症の人にとって日常生活又は社会生活を営む上で**障壁**となるものを**除去**することにより、全ての認知症の人が、**社会の対等な構成員**として、**地域**において**安全**にかつ**安心**して**自立した日常生活**を営むことができるとともに、自己に直接関係する事項に関して**意見を表明する機会**及び社会のあらゆる分野における活動に**参画する機会**の確保を通じて**その個性と能力を十分に発揮**することができるようにすること。
4. 認知症の人の**意向を十分に尊重**しつつ、**良質かつ適切な保健医療サービス**及び**福祉サービス**が切れ目なく提供されること。
5. 認知症の人のみならず家族等に対する支援により、認知症の人及び家族等が**地域**において**安心**して**日常生活**を営むことができるようにすること。
6. **共生社会**の実現に資する**研究等を推進**するとともに、認知症及び軽度の認知機能の障害に係る**予防**、**診断**及び**治療**並びに**リハビリテーション**及び**介護方法**、認知症の人が尊厳を保持しつつ希望を持って暮らすための**社会参加の在り方**及び認知症の人が他の人々と支え合いながら共生することができる**社会環境の整備**その他の事項に関する科学的知見に基づく**研究等の成果**を広く**国民が享受できる環境を整備**すること。
7. 教育、地域づくり、雇用、保健、医療、福祉その他の**各関連分野**における**総合的な取組**として行われること。

■基本的施策

1. 認知症の人に関する**国民の理解**の増進等
2. 認知症の人の生活における**バリアフリー化**の推進
3. 認知症の人の**社会参加の機会の確保**等
4. 認知症の人の**意思決定の支援**及び**権利利益の保護**
5. **保健医療サービス**及び**福祉サービス**の提供体制の整備等
6. **相談体制**の整備等
7. **研究**等の推進等
8. 認知症の**予防**等

一問一答

認知症基本法の基本理念の一つに、「全ての認知症の人が、基本的人権を享有する個人として、自らの意思によって日常生活及び社会生活を営むことができるようにすること」がある。

○　認知症基本法は、認知症があってもなくても共に支え合いながら共生する活力ある社会（共生社会）の実現に向けて国や地方公共団体が施策を講じていく、その方向性を示すものである。

2024（令和6）年4月施行改正「障害者差別解消法」で、事業主の努力義務が義務に

該当科目　社会の理解・障害の理解

障害を理由とする差別の解消を一層推進するため、**事業者**に対して課されていた**合理的配慮**の努力義務が、2024（令和6）年4月1日から**義務化**されました。これにより**事業者**は、障害がある者にとって社会生活を営む上で障壁となるような事物、慣行、観念その他一切の社会的障壁を取り除くよう合理的配慮を提供しなければなりません。また、**国や地方公共団体**は、障害を理由とする差別解消のための支援措置を実施するために**連携して協力**しなければならないとされ、相談対応のための**人材を育成し確保**する責務、**情報の収集・整理・提供**についても明記されています。

なお、障害者福祉に関連して、障害者総合支援法の対象難病が2024（令和6）年4月1日から366疾病から**369疾病**へ拡大されたことにも注意しておきましょう。

一問一答

障害者差別解消法における合理的配慮は、国や地方公共団体については義務であるが、事業者については努力義務である。

×　2024（令和6）年4月1日から事業者についても義務化された。

■合理的配慮とは

具体的には、①行政機関等と事業者が、②その事務・事業を行うに当たり、③個々の場面で、障害者から「社会的なバリアを取り除いてほしい」旨の**意思の表明**があった場合に、④その実施に伴う**負担が過重でないとき**に、⑤社会的なバリアを取り除くために**必要かつ合理的な配慮**を講ずること、とされています。

■合理的配慮の具体例

◆物理的環境への配慮（例：肢体不自由）
【障害のある人からの申出】飲食店で車椅子のまま着席したい。
【申出への対応（合理的配慮の提供）】机に備え付けの椅子を片付けて、**車椅子のまま着席できるスペースを確保**した。

◆意思疎通への配慮（例：弱視難聴）
【障害のある人からの申出】文字の読み書きに時間がかかるため、セミナーへの参加中にホワイトボードを最後まで書き写すことができない。
【申出への対応（合理的配慮の提供）】デジタルカメラ、スマートフォン、タブレット端末などでホワイトボードを**撮影可**とした。

2024(令和6)年4月施行「障害者総合支援法等を改正する法律」

該当科目 社会の理解・障害の理解

2022（令和4）年12月に成立した「障害者の日常生活及び社会生活を総合的に支援するための法律等の一部を改正する法律」は、障害者や難病患者等が地域や職場で**生きがいや役割**を持ち、医療、福祉、雇用等の各分野の支援を受けながら、**その人らしく安心して暮らす**ことができる体制を構築することを目的とする法律です。

難病患者の医療費の充実等、2023（令和5）年中に施行されたものがありますが、主なものは2024（令和6）年4月1日に施行されました。

今後は、本人の希望に応じて、施設や病院から地域に移行した後、その人の住まいの場で、その人らしい居宅生活ができるような相談支援、通所系・訪問系福祉サービスなどの支援の充実が図られ、また、福祉や雇用が連携した支援や、助成金の拡充による障害者雇用の質の向上、調査・研究の強化や障害福祉サービス等の質の確保・向上のためのデータベースの整備等も推進されることになります。

2024（令和6）年4月1日以降施行の主な改正内容と関連する法律は以下の通りです。

主な改正内容と関連法	施行期日
1．**障害者の地域生活の支援体制の充実**【障害者総合支援法、精神保健福祉法】 ①**グループホーム**（共同生活援助）の支援内容として、一人暮らし等を希望する利用者に対する支援や、退居後の地域への定着に関する相談等が含まれることを**法律上明確化**する。 ②地域の相談支援の中核的機関である**基幹相談支援センター**の設置及び**地域生活支援拠点**等の整備を**市町村の努力義務**とする。 ③都道府県・市町村が実施する精神保健に関する相談支援について、精神障害者のほか**精神保健に課題を抱える者**も対象とする。	2024（令和6）年 4月1日
2．**障害者の多様な就労ニーズに対する支援及び障害者雇用の質の向上の推進**【障害者総合支援法、障害者雇用促進法】 ①就労アセスメントの手法を活用して、本人の希望や能力・適性に合った選択を支援する**就労選択支援**を創設。ハローワークによる**職業指導**等を実施。 ②週所定労働時間**10時間以上20時間未満**の重度身体障害者、重度知的障害者及び精神障害者について、事業主が雇用した場合は**実雇用率**において算定できる。 ③雇用の質の向上のため、障害者の雇用者数で評価する**障害者雇用調整金**の支給方法を見直し、企業が行う職場定着等の取り組みに対する**助成金**を新設。	① 2025（令和7）年10月1日 ②③ 2024(令和6)年4月1日
3．**精神障害者の希望やニーズに応じた支援体制の整備**【精神保健福祉法】 ①**医療保護入院**につき、家族等が同意・不同意の意思表示を行わない場合にも、**市町村長の同意**により行うことができる。 ②市町村長同意による医療保護入院患者に対し、本人の希望により訪問支援員を派遣する**入院者訪問支援事業**を創設。 ③精神科病院における**虐待防止**のため、従業者等への**研修・相談体制**の整備、虐待を発見した場合の都道府県等への**通報のしくみの整備**。	2024（令和6）年 4月1日

4．**障害福祉サービス等、指定難病及び小児慢性特定疾病についてのデータベース（DB）に関する規定の整備**【障害者総合支援法、児童福祉法、難病法】 障害者 DB、障害児 DB、難病 DB、小児慢性特定疾病（小慢）DB を法制化し、国による情報収集や都道府県等の国への情報提供義務を規定。	難病 DB、小慢 DB は 2024（令和 6）年 4 月 1 日、その他は 2025（令和 7）年 12 月 1 日（案）
5．**地域のニーズを踏まえた障害福祉サービス事業者指定のしくみの導入**【障害者総合支援法、児童福祉法】 **市町村**は、市町村障害福祉計画に整合した障害福祉サービス事業者の指定を行えるよう、都道府県が行う事業者指定について**意見を申し出る**ことができる。	2024（令和 6）年 4 月 1 日

一問一答

基幹相談支援センターの設置及び地域生活支援拠点等の整備を市町村に義務づけることは、2022（令和 4）年 12 月に成立した「障害者総合支援法等の一部を改正する法律」の改正内容に含まれる。

×　地域の相談支援の中核的機関である**基幹相談支援センター**の設置及び**地域生活支援拠点**等の整備は、**市町村の努力義務**とする。

親子法制の見直し―2022（令和 4）年 12 月成立「民法等の一部を改正する法律」―

該当科目　**社会の理解**

2022（令和 4）年 12 月、民法の嫡出《ちゃくしゅつ》推定制度の見直し等を内容とする「民法等の一部を改正する法律」が成立しました。この法律のうち、児童虐待《ぎゃくたい》を正当化する口実となっていた親権者の子への懲戒《ちょうかい》権に関する規定の削除は同年 12 月に施行されましたが、無戸籍問題の一因となっていた嫡出推定制度の見直し等の規定は 2024（令和 6）年 4 月 1 日から施行されています。

■嫡出推定制度の見直しのポイント

- 婚姻の解消等の日から **300 日**以内に子が生まれた場合であっても、母が前夫以外の男性と再婚した後に生まれた子は、**再婚後の夫の子と推定**する。
- 女性の**再婚禁止期間を廃止**。
- 夫のみに認められていた嫡出否認権を、子及び母にも認めた。
- 嫡出否認の訴えの出訴期間を 1 年から 3 年に伸長した。

一問一答

婚姻の解消等の日から 300 日以内に生まれた子は、母が再婚後であっても、前夫の子とみなされる。

×　母が前夫以外の男性と再婚後に生まれた子は、再婚後の夫の子と推定する。

2024(令和6)年4月施行「児童福祉法等の一部を改正する法律」

該当科目 社会の理解

児童虐待の相談対応件数の増加など、子育てに困難を抱える世帯が増加するなか、**子育て世帯に対する包括的支援**の体制強化を行うため、2022（令和4）年6月に成立した、児童福祉法等の一部を改正する法律が順次施行されています。児童にわいせつ行為を行った保育士の資格管理厳格化（児童福祉法）は2023（令和5）年中に施行されましたが、2024（令和6）年4月以降、以下のように市町村のこども家庭センター設置の努力義務化などが行われます。

主な改正内容	施行期日
1．**子育て世帯に対する包括的な支援のための体制強化及び事業の拡充**【児童福祉法、母子保健法】 ①市区町村において、子ども家庭総合支援拠点（児童福祉）と子育て世代包括支援センター（母子保健）を見直し、**こども家庭センター**の設置に努める。要支援児童等への**サポートプラン**の作成。 ②**子育て世帯訪問支援事業**（ヤングケアラー支援を含む）、**児童育成支援拠点事業**（子どもの居場所支援）、**親子関係形成支援事業**の新設。 ③**児童発達支援センター**を地域の障害児支援の中核として位置づけ。児童発達支援の類型（福祉型、医療型）の一元化。	2024（令和6）年 4月1日
2．**一時保護所及び児童相談所による児童への処遇や支援、困難を抱える妊産婦等への支援の質の向上**【児童福祉法】 ①一時保護所の環境改善。親子再統合支援事業。里親支援センターを設置し児童福祉施設として位置づける。 ②困難を抱える妊産婦等に日常生活の支援や情報提供を行う。	2024（令和6）年 4月1日
3．**社会的養育経験者・障害児入所施設の入所児童等に対する自立支援の強化**【児童福祉法】 ①施設の退所者を通所や訪問により支援する拠点を設置。 ②児童自立生活援助事業の活用で**22歳**まで施設の入所継続を可能に。	
4．**児童の意見聴取等の仕組みの整備**【児童福祉法】 一時保護等の決定時に児童の意見聴取等を行う。	
5．**一時保護開始時の判断に関する司法審査の導入**【児童福祉法】 一時保護の適正性の確保等のため、事前または保護開始から7日以内に裁判官に一時保護状を書面で請求する。	2025（令和7）年 6月1日
6．**子ども家庭福祉の実務者の専門性の向上**【児童福祉法】 児童虐待対応などについての専門性を十分身につけた実務経験者向けの認定資格（こども家庭ソーシャルワーカー）を導入し、児童福祉司の任用要件に追加する。	2024（令和6）年 4月1日

一問一答

社会福祉士または精神保健福祉士の資格を有する者は、2年以上のこども家庭福祉の相談援助業務経験があれば、こども家庭ソーシャルワーカーの認定資格が得られる。

×　国の基準を満たす認定機関が認定した研修等を経て取得することができる。

ピンポイント 科目別レッスン

各領域・各科目の最重要項目から効率よくポイントをおさえていきましょう！

領域 I

人間と社会

ちょっと難しい！ 完璧に覚えて確実に得点を重ねよう！

人間の尊厳と自立…………………………… 10
人間関係とコミュニケーション………… 13
社会の理解…………………………………… 14

領域 II

介護

みんなが高得点！ だからこそ油断大敵 !!!

介護の基本…………………………………… 21
コミュニケーション技術………………… 26
生活支援技術……………………………… 28
介護過程……………………………………… 30

領域 III

こころとからだのしくみ

めざせ！ 正解率 60% !!! ひたすら覚えよう！

こころとからだのしくみ………………… 31
発達と老化の理解………………………… 33
認知症の理解……………………………… 38
障害の理解…………………………………… 40

領域 IV

医療的ケア

ポイントをしぼって失点を減らせ !! しっかり基本を理解しよう！

医療的ケア…………………………………… 43

領域
I

人間と社会

ちょっと難しい！
完璧に覚えて確実に得点を重ねよう！

領域Ⅰ「人間と社会」は、「人間の尊厳と自立」「人間関係とコミュニケーション」「社会の理解」の３科目で構成されています。この領域は、覚えなければならない条文やサービス、専門用語などが多く、法制度のしくみを理解しなければならないという特徴があります。他の領域に比べてもやや難易度が高く、試験においては、得点に差が生じやすくなっています。そのため、この領域をしっかりと学習し、高得点を獲得して、他の受験生に差をつけましょう。

人間の尊厳と自立

【学習のテクニック】

「尊厳」「自立」「権利」「権利擁護」に関係する内容は、この科目で出題される可能性が高いため、ピックアップして理解する必要がある。特に障害者差別解消法、高齢者虐待《ぎゃくたい》防止法、障害者虐待防止法、日常生活自立支援事業、成年後見制度については「社会の理解」や「認知症の理解」などの他の科目でも出題されやすいので、重点的に学習しよう。

■人権・尊厳に関わる法律

ココが重要！　◎人権・尊厳に関わる主な法律には日本国憲法、障害者基本法、社会福祉法、介護保険法、障害者総合支援法、障害者差別解消法がある。

●人権・尊厳に関わる主な法律

法　律		概　要
日本国憲法	第13条	すべて国民は、**個人**として**尊重**される（個人の尊重）
	第25条	すべて国民は、**健康で文化的な最低限度の生活**を営む権利を有する（生存権）
障害者基本法	第３条	すべての**障害者**が、障害者でない者と等しく、**基本的人権**を持っている個人として**尊厳**が尊重され、その**尊厳**にふさわしい生活を保障される権利を有する
社会福祉法	第３条	**福祉サービス**は、個人の**尊厳**の保持を旨とし、その内容は、福祉サービスの利用者が心身ともに健やかに育成され、またはその有する能力に応じ**自立**した日常生活を営むことができるように支援するもの
介護保険法	第１条	**要介護**状態となり、介護、機能訓練、看護等を必要とする者が**尊厳**を保持し、その有する能力に応じ**自立**した日常生活を営むことができるよう、必要な保健医療サービスおよび福祉サービスを給付（提供）
障害者総合支援法	第１条	**障害者**と障害児が**基本的人権**を持っている個人としての**尊厳**にふさわしい日常生活や社会生活を営むことができるよう、必要な**障害福祉サービス**を給付（提供）
障害者差別解消法	第１条	**障害者基本法**の基本的な理念にのっとり、すべての障害者が、障害者でない者と等しく、基本的人権を持っている個人として尊厳が尊重され、障害を理由とする**差別の解消を推進**し、すべての国民が、**障害の有無によって分け隔てられることなく**、相互に人格と個性を尊重し合いながら**共生する社会の実現**に資することを目的とする

■障害者差別解消法と合理的配慮

ココが重要!

◎障害者差別解消法でいう「障害者」は、いわゆる「障害者手帳」の所持者だけではなく、障害および社会的障壁によって日常生活や社会生活に相当な制限を受けている人すべてである。
◎障害者差別解消法では、不当な差別的扱いを禁止するとともに合理的配慮の提供を求めている。

●障害者差別解消法の目的・内容

障害者差別解消法では、障害を理由としたサービスの提供拒否やサービスの提供場所・時間の制限等の**不当な差別的取扱いを禁止**するとともに**合理的配慮を提供**し、**共生社会の実現**を目指している。

●合理的配慮の意味と例

合理的配慮とは、障害のある人から、社会の中にある**バリア（障壁）を取り除く**ために何らかの対応を必要としているとの意思が伝えられた際に、**個々の状況に適した対応を周囲の人たちが実施**することを指す。例えば、知的障害のある人が市役所の会議に出席した際、本人の申出に応じ、わかりやすい言葉で書かれた資料を主催者が用意するのも合理的配慮となる。

●不当な差別的取扱いの禁止と合理的配慮の提供における国・地方公共団体・民間事業者の責務

国・地方公共団体➡	不当な差別的取扱いの禁止	：義務	＋	合理的配慮の提供	：**義務**
民間事業者➡	不当な差別的取扱いの禁止	：義務	＋	合理的配慮の提供	：**義務**※

※2021（令和3）年5月に成立した改正障害者差別解消法により、これまで努力義務であった**民間事業者の合理的配慮の提供が2024（令和6）年4月1日から義務化**された。

■虐待《ぎゃくたい》・身体拘束の禁止と虐待防止——高齢者虐待防止法と障害者虐待防止法

ココが重要!

◎虐待には身体的虐待、心理的虐待、ネグレクト、経済的虐待、性的虐待がある。
◎身体拘束は原則禁止。緊急やむを得ない理由で身体拘束を行う場合、①切迫《せっぱく》性、②非代替性、③一時性のすべてを満たしている必要がある。
◎虐待を防止するための法律には、高齢者虐待防止法や障害者虐待防止法等がある。
◎虐待を受けたと思われる人を発見した場合、高齢者虐待防止法では市町村、障害者虐待防止法では市町村または都道府県への通報義務がある。

●虐待《ぎゃくたい》の種類と内容

身体的虐待：**身体**に外傷が生じる暴行、正当な理由がない**身体拘束**
心理的虐待：著しい**暴言**、拒絶的な対応、**心理的外傷**を与える言動
ネグレクト：衰弱させるような著しい減食、長時間の**放置**、著しい養護の**怠慢**
経済的虐待：**財産**を不当に処分、本人から不当に財産上の利益を得ること
性的虐待：わいせつな行為をすること、わいせつな行為をさせること

●身体拘束の禁止

・身体拘束は原則**禁止**されている。
・ベッド柵で囲む、つなぎ服を着せる、ミトン型の手袋やY字帯をつける、薬による**行動制限**を行う、居室のドアを自分で開けられないようにする等の行為は**身体拘束**にあたる。

●高齢者虐待《ぎゃくたい》の状況

・高齢者虐待を受けた人（被虐待者）は**女性**が多い。
・高齢者虐待をした人（虐待者）は**息子**が最も多く、次いで夫、娘の順となっている。
・高齢者虐待で最も多いのは、**身体的虐待**である。

●高齢者虐待《ぎゃくたい》防止法と障害者虐待防止法

	高齢者虐待防止法	障害者虐待防止法
虐待の定義	・65 歳以上の高齢者に対する**養護者**（自宅で高齢者を介護する家族、親族、同居人等）と、**養介護施設**従事者等（介護保険施設や居宅サービス事業所等で働く職員）による虐待を**「高齢者虐待」**と定義	・**障害者**に対する**養護者**（自宅で障害者を介護する家族、親族、同居人等）と、**障害者福祉施設**従事者等（障害者支援施設や就労継続支援事業所等で働く職員・使用者）による虐待を**「障害者虐待」**と定義
虐待への対応	・高齢者虐待の**早期発見**のため、虐待を受けたと思われる高齢者を発見した人は、速やかに**市町村**に通報 ・通報を受けた市町村は、その高齢者が住む自宅への**立ち入り調査**や虐待を受けていた場合には**一時的な保護**を実施 ・立ち入り調査は、市町村が**地域包括支援センター**の職員等に命じて実施するが、状況によっては**警察署長**に援助を求めることも可能	・**通報義務**が定められている ・養護者または障害者福祉施設従事者等による虐待を受けたと思われる障害者を発見した場合には、速やかに**市町村へ通報** ・使用者による虐待を受けたと思われる障害者を発見した場合には、速やかに**市町村**または**都道府県**に通報

■日常生活自立支援事業

ココが重要!

◎日常生活自立支援事業は、認知症のある人や知的障害者、精神障害者等で判断能力が不十分な人たちに対し、福祉サービスの利用援助、日常的金銭管理サービス、書類等の預かりサービスを行う。
◎判断能力は不十分ながらも契約内容を理解できる能力がある点が、成年後見制度の対象とは異なる。

実施主体		**都道府県社会福祉協議会**および**指定都市社会福祉協議会**
対象		**認知症、知的障害、精神障害**などがあって、**十分な判断能力がない**ものの、日常生活自立支援事業の契約内容が理解できる者
専門職	**専門員**	**支援計画**の作成や**契約**の締結に関する業務を担当する。
	生活支援員	支援計画に基づいて実際の**支援業務**を担当する。
事業内容	**福祉サービスの利用援助**	介護保険サービス事業者との**契約締結**の援助、要介護認定に関する**申請手続き**の援助など
	日常的金銭管理サービス	**預金の引出し**や公共料金・サービス利用料・家賃の**支払い**などを行う。
	書類等の預かりサービス	通帳や印鑑、証書などの書類の預かり・保管を行う。

■成年後見制度

ココが重要!

◎成年後見制度は、認知症、知的障害、精神障害などによって判断能力の不十分な者の権利を守る制度であり、法定後見制度と任意後見制度に大別できる。
◎法定後見制度では、本人の判断能力に応じて後見、保佐、補助のいずれかが選任される。
◎任意後見制度では、事前に本人と任意後見受任者との間で公正証書によって任意後見契約を締結する。

●法定後見制度の類型

後見	常に自分で判断して法律行為が行えない程の判断能力を欠く者に対して選任されるものであり、本人の財産に関する**すべての法律行為**について、本人に代わって行うことができる。
保佐	判断能力が特に不十分な者に対して選任されるものであり、当事者が申立てた特定の法律行為に関して**代理権**を有することができる。また、一定の法律行為について同意権および取消権を有することができる。
補助	判断能力が不十分な者に対して選任されるものであり、当事者が申立てた特定の法律行為について**代理権**や**同意権**、取消権を有することができる。

●任意後見開始までの過程

本人と任意後見受任者とで公正証書によって任意後見契約を締結 → 本人、配偶者、四親等内の親族などが、家庭裁判所に申立てを行う → 家庭裁判所が任意後見監督人を選任し、任意後見契約を発効 → **任意後見開始**

（本人の判断能力が低下・喪失）

目標は100%!

人間関係とコミュニケーション

【学習のテクニック】

この科目では、「自己覚知《かくち》」「ラポール」「非言語的コミュニケーション」など、理解しなければならない基本的な用語が多く含まれている。また、新カリキュラムの導入に伴い、リーダーシップ、フォロワーシップ、コーチング等、チームマネジメントに関する内容が追加されている。まずは、これらの用語の意味をしっかりと理解することが重要である。

■人間関係と心理

ココが重要!

◎対人援助を行う場合には、まず利用者と人間関係を築くことが大切である。

◎介護福祉職は、自分の感情や行動をコントロールできるように、自己覚知《かくち》に努める。

●人間関係の形成

自己覚知《かくち》	援助者が**自分自身**の性格、行動傾向、価値観、感情などを客観的に認識することを意味する。対人援助において、援助者の**自己覚知**が不十分であった場合、利用者の発言を受けて感情的になることや援助者自身の価値観で利用者の生活課題について誤った判断をしてしまうこともある。
自己開示	利用者との良好な人間関係を構築するため、援助者が自らの名前・所属・役割などの情報を利用者に伝えることを指す。自己開示のためには、**ジョハリの窓の「開放された部分」**（自分も他人も知っている部分）を広げる。
ラポール	「**信頼関係**」と訳されることもある。介護の現場などの対人援助において、ラポールの形成は、利用者と援助者の人間関係の土台として重要視されている。
受容	相手のあるがままの姿を受け入れることを意味する。介護の現場においては、援助者が利用者の発言・性格・行動などを**そのまま受け入れて接する**ことを指す。
共感的態度	対人援助において、援助者が利用者の感情を把握しようと努め、その感情に**寄り添う**ことを意味する。利用者にとっては、援助者が共感的態度を示すことによって、「自分の気持ちをわかってくれた」と感じ、利用者と援助者との**ラポール**が形成されていく。
グループダイナミクス	小集団が個人に与える影響や個人が小集団に与える影響等、**小集団がもつ力動関係**のことを指す。

■コミュニケーションの種類

ココが重要!

◎コミュニケーションは、言語的コミュニケーションと非言語的コミュニケーションに大別できる。

◎援助者は、利用者の非言語的コミュニケーションを観察しながら、コミュニケーションを図る。

●言語的コミュニケーションと非言語的コミュニケーション

言語的コミュニケーション	**会話**、**筆談**、手紙、メール、**手話**　など
非言語的コミュニケーション	**表情**、態度、視線、姿勢、**対人距離**、**ジェスチャー**（身振り・手振り）、**服装**等の身だしなみ　など

■チームマネジメント

ココが重要！
◎チームマネジメントとは、目標達成に向けて、組織・チームやそれを構成するメンバーが最大限の能力を発揮できるための働きかけ（やりくり）や調整、しくみのこと等を指す。

●チームマネジメントに関連する用語とその意味

PDCA サイクル	**Plan（計画）→ Do（実行）→ Check（評価）→ Action（改善）**を繰り返す中で、施設・事業所での事業内容・業務内容等の改善を図るプロセス
BCP （Business Continuity Plan：業務継続計画）	**感染症**や**災害**が発生した場合であっても、その施設・事業所で利用者へのサービスが**安定的・継続的に提供**されるよう、**対応方針**や**対応方法**、**職員体制**等を示した計画のこと
フォロワーシップ	**リーダー**の意思決定に誤りがあった場合等に**提言**を行う等、**組織・チーム**がその能力を最大限に発揮するために、自主的・主体的に**リーダーや他のメンバーに働きかける**こと
OJT （On the Job Training）	新人介護福祉職に対して日常の業務を通じて必要な知識・技術を指導する等、**職場内で行われる職員教育・研修**
Off-JT （Off the Job Training）	外部講師によるセミナーや研修会等、通常の業務から離れて行われる**職場外教育・研修**
SDS（Self Development System）	「自己啓発援助制度」と訳され、本人が必要とする知識・技能等を**自ら主体的に学ぶことを支援**すること
ティーチング	経験の浅い人に対し、**経験豊かな人**が自分の知識・技術等を**教える**こと
コーチング	相手の話をよく聴き、**適切な観察や質問**等を行う中で、その人の内側にある答えや能力を引き出し、**その人自身が目標を達成**できるようにすること
スーパービジョン	経験の浅い援助者（**スーパーバイジー**）が、より熟達した援助者（**スーパーバイザー**）に**教育的な指導**や**訓練**を受けること
コンサルテーション	介護福祉職が医師から疾病とそれに対する介護上の留意点について説明を受ける等、**他の領域の専門職から助言や示唆《しさ》を受ける**こと

社会の理解

【学習のテクニック】
この科目は、学習内容が膨大であり、難易度も他の科目に比べて高い。これまでの試験で頻繁に出題されている介護保険制度や障害者総合支援法を中心に学習していくと効率的である。

■社会保障の意味と機能

ココが重要！
◎社会保障とは、公的なしくみを通じて自助努力だけでは対応困難な生活上のリスク（病気、けが、障害、死亡、加齢、失業、介護等）を予防または救済し、ナショナル・ミニマムを実現することである。
◎日本の社会保障制度は、保険料が主な財源の社会保険と租税が主な財源の社会扶助に大別できる。

●社会保障の主な機能

社会的セーフティネット	生活上のリスクに伴う**生活困難の発生を予防または救済**し、**生活の安定**と**生活の保障**を図る。
所得再分配	所得の高い人から所得の低い人へというように、**所得を個人や世帯の間で移動**させることで、所得格差の縮小や低所得者の生活の安定を図る。
リスク分散	個人の自助努力だけでは対応困難な**生活上のリスクを社会全体で支え合う**ことで、そのリスクに伴う影響力を低減させる。
社会の安定	社会保障が発展することで**社会が安定**し、**経済の安定や成長**につながる。

■社会保険

ココが重要！

◎ 1961（昭和 36）年、原則 20 歳以上 60 歳未満のすべての国民が公的な年金保険に加入する国民皆年金と原則すべての国民が公的な医療保険に加入する国民皆保険が実現した。
◎労働者災害補償保険は労働基準監督署、雇用保険は公共職業安定所（ハローワーク）が現業業務を担う。
◎介護保険は 1997（平成 9）年に成立、2000（平成 12）年 4 月に施行された。

● 5 つの社会保険

年金保険	・年金保険には① 20 歳以上 60 歳未満のすべての国民が必ず加入することになっている**国民年金（基礎年金）**と②主に会社員や公務員、サラリーマン等が国民年金に上乗せされて給付される**厚生年金**等がある。 ・国民年金の被保険者は① 20 歳以上 60 歳未満の**自営業者**等（**第 1 号被保険者**）、②**会社員や公務員、サラリーマン**等の厚生年金の被保険者（**第 2 号被保険者**）、③厚生年金の被保険者に**扶養**されている 20 歳以上 60 歳未満の**配偶者**（**第 3 号被保険者**）に分けられる。 ・老齢に対して**老齢**年金、障害に対して**障害**年金、死亡に対して**遺族**年金が給付される。 ・老齢基礎年金の場合、65 歳に達した際に受給（60 ～ 64 歳での**繰り上げ受給→**減額、66 ～ 75 歳までの**繰り下げ受給→**増額も選択可能）。ただし、給付を受けるには保険料納付済期間等が **10 年以上**必要である。
医療保険	・**業務外**の**傷病**に対して給付 ・医療費の自己負担は①義務教育就学前までが **2** 割、②義務教育就学後から 70 歳未満が **3** 割、③ 70 歳以上 75 歳未満が **2** 割（現役並み所得がある人は **3** 割）、④ 75 歳以上または障害がある 65 歳以上 75 歳未満が **1** 割（一定以上所得がある人は **2** 割、現役並み所得がある人は **3** 割）となる。 ・医療保険は① **75 歳未満**の**国民健康保険**（**自営業者**、**パート**、**無職**等が加入）や健康保険等の**被用者保険**（**サラリーマンとその家族**等が加入）と② **75 歳以上**が加入する**後期高齢者医療制度**に大別できる。 ・後期高齢者医療制度の被保険者は **75 歳以上**の人、または **65 歳以上 75 歳未満**で一定の**障害があると認定**された人である。
労働者災害補償保険（労災保険）	・業務中の**労働災害**や通勤途中の**通勤災害**に伴う**傷病**、**障害**、**死亡**に対して給付 ・保険者は**国**。実際の業務は都道府県労働局や**労働基準監督署**が担っている。 ・労災保険の場合、その保険料は**事業主が全額負担**（労働者の負担はない）
雇用保険	・労働者の**失業**等に対して給付 ・保険者は国。実際の業務は都道府県労働局や**公共職業安定所（ハローワーク）**が担っている。
介護保険 →詳細 p.15～18, 23～24	・**少子・高齢化**の進展、**要介護者**等の増加、介護の**長期化・重度化**、家族による**介護力の低下**、老後の不安、一体的なサービス提供の必要性等を背景に誕生した。 ・**要介護**や**要支援**の状態に対して給付

■介護保険制度

ココが重要！

◎第 1 号被保険者の保険料は特別徴収または普通徴収によって、第 2 号被保険者の保険料は、医療保険の保険者による、医療保険料の介護保険分として給料天引きなどによって徴収される。
◎市町村が実施する地域支援事業のうち、介護予防・日常生活支援総合事業は、介護予防・生活支援サービス事業と一般介護予防事業で構成される。

●被保険者の要件と資格取得時期

第 1 号被保険者
- **要件** ―― 市町村の区域内に住所を有する **65 歳以上の者**
- **取得時期** ―― ① 65 歳以上の者が市町村の区域内に住所を有するに至ったとき
  ②市町村の区域内に住所を有する医療保険加入者ではない者が **65 歳**に達したとき

第 2 号被保険者
- **要件** ―― 市町村の区域内に住所を有する **40 歳以上 65 歳未満の医療保険加入者**
- **取得時期** ―― ①市町村の区域内に住所を有する医療保険加入者が **40 歳**に達したとき
  ② 40 歳以上 65 歳未満の医療保険加入者が市町村の区域内に住所を有するに至ったとき
  ③市町村の区域内に住所を有する 40 歳以上 65 歳未満の者が**医療保険加入者**となったとき

●介護保険法改正の主なポイント

改正法成立年	主な改正内容
2005（平成 17）年	・介護予防の重視→新予防給付（**要支援 1・2**）の創設 ・**地域密着型**サービス、**地域包括支援センター**の創設 ・介護支援専門員（ケアマネジャー）の資格に 5 年ごとの**更新制**を導入
2008（平成 20）年	・事業者に**法令遵守**《ほうれいじゅんしゅ》（コンプライアンス）の体制整備を義務付け
2011（平成 23）年	・**定期巡回・随時**《ずいじ》**対応型訪問介護看護**の創設 ・複合型サービス（現在の**看護小規模多機能型居宅介護**）の創設
2014（平成 26）年	・介護予防訪問介護と介護予防通所介護が**地域支援事業**の介護予防・日常生活支援総合事業に移行→**要支援者**は**訪問型**サービスや**通所型**サービスを利用 ・介護老人福祉施設の入所対象を原則、要介護 **3** 以上に ・第 1 号被保険者のうち一定以上の所得がある利用者の自己負担を引き上げ（1 割→ **2** 割）
2017（平成 29）年	・第 1 号被保険者のうち現役並みの「**より所得が高い**」利用者の自己負担を引き上げ（2 割→ **3 割**） ・医療機能と生活支援機能を兼ね備えた**介護医療院**の創設 ・**共生型サービス**を創設
2020（令和 2）年	・市町村に**重層的支援体制整備事業**を創設→ **8050 問題**、育児と介護の**ダブルケア**等の複合化した支援ニーズに対応 ・医療・介護の**データ基盤**の整備の推進
2023（令和 5）年 （p.2 ～ 3 参照）	・事業所の**生産性向上**につながる取り組みの促進が**都道府県**の**努力義務**に ・**介護予防支援**について、地域包括支援センターに加え、**居宅介護支援事業所**も市町村からの指定を受けて実施可能に

●保険料の徴収方法

第 1 号被保険者	特別徴収	**年金からの天引き**によって、市区町村が直接徴収する方法である。
	普通徴収	主に低所得の被保険者を対象に、**直接市町村**に対して、納期内に介護保険料を納める方法である。保険料の支払方法には、納入通知書によって、市町村や**コンビニエンスストア**で納める方法や、口座振替がある。
第 2 号被保険者	天引きなど	加入している医療保険の保険者が、医療保険料の介護保険分として**給料天引き**などによって徴収する方法である。保険料の額は、各医療保険者によって異なる。

●保険給付の種類

介護給付	居宅介護サービス費、地域密着型介護サービス費、居宅介護福祉用具購入費、居宅介護住宅改修費、居宅介護サービス計画費、施設介護サービス費、特例施設介護サービス費、高額介護サービス費、高額医療合算介護サービス費などがある。**要介護者**が対象。
予防給付	介護予防サービス費、地域密着型介護予防サービス費、介護予防福祉用具購入費、介護予防住宅改修費、介護予防サービス計画費、高額介護予防サービス費、高額医療合算介護予防サービス費などがある。**要支援者**が対象。
市町村特別給付	**市町村が独自で設ける**ことができる（配食、寝具洗濯・乾燥、理髪などのサービス）。

●要介護（要支援）認定の申請方法

申請方法	被保険者は、要介護（要支援）認定を受ける場合、申請書に**被保険者証**を添付して、市町村に申請をしなければならない。
代理申請	要介護（要支援）認定の申請は、被保険者の**家族**等による代理申請が認められている。
申請手続きの代行	被保険者は、**民生委員**、**社会保険労務士**、**指定居宅介護支援事業者**、**介護保険施設**、**地域包括支援センター**などに申請手続きの代行を依頼することができる。

●介護保険サービス（介護保険制度の給付）とケアプランの作成

介護保険サービスを受けるには、要支援認定または要介護認定を受け、それぞれの状況に応じた**ケアプラン**を作成する必要がある。ケアプランは、**介護支援専門員**が**ケアマネジメント**のしくみの中で作成する。

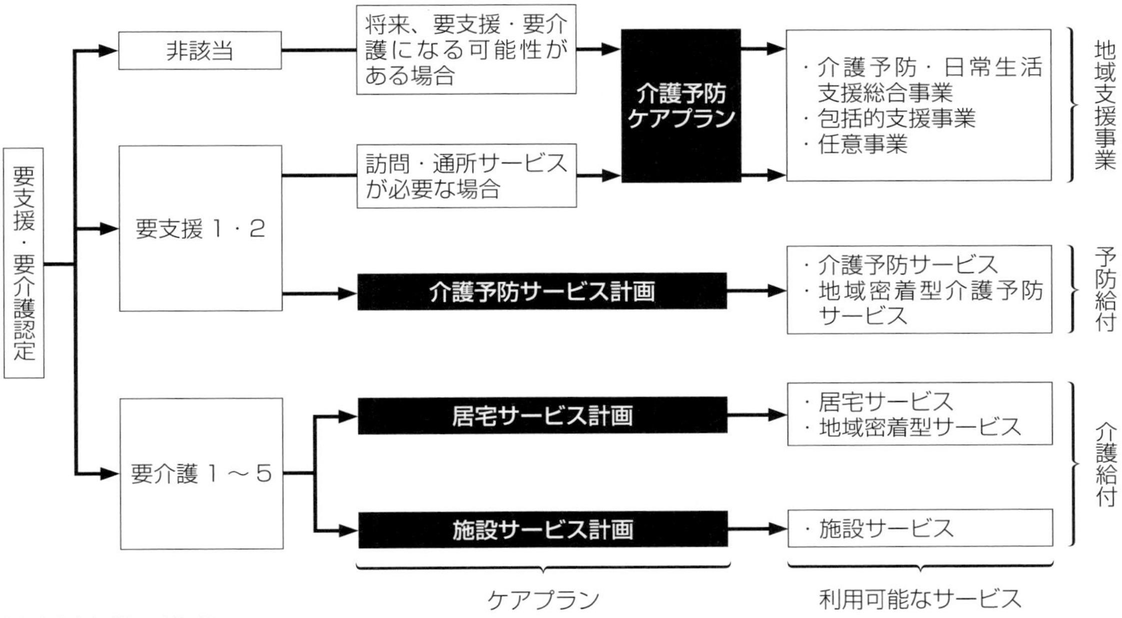

●地域支援事業の構成

<table>
<tr><td rowspan="3">必須事業</td><td rowspan="2">介護予防・日常生活支援総合事業</td><td>介護予防・生活支援サービス事業</td><td>①訪問型サービス（第1号訪問事業）
②通所型サービス（第1号通所事業）
③生活支援サービス（第1号生活支援事業）
④介護予防ケアマネジメント（第1号介護予防支援事業）</td></tr>
<tr><td>一般介護予防事業</td><td>①介護予防把握事業　②介護予防普及啓発事業
③地域介護予防活動支援事業　④一般介護予防事業評価事業
⑤地域リハビリテーション活動支援事業</td></tr>
<tr><td>包括的支援事業</td><td colspan="2">①地域包括支援センター事業
・介護予防ケアマネジメント　・総合相談支援業務　・権利擁護業務
・包括的・継続的ケアマネジメント支援業務
②在宅医療・介護連携推進事業
③認知症総合支援事業
・認知症初期集中支援チーム　・認知症地域支援推進員　など
④生活支援体制整備事業
⑤地域ケア会議推進事業</td></tr>
<tr><td colspan="2">任意事業</td><td colspan="2">①介護給付等費用適正化事業　②家族介護支援事業
③成年後見制度利用支援事業　④その他の事業</td></tr>
</table>

●地域包括支援センターの概要

目的・特徴	健康保持や生活の安定のために必要な援助を行うことにより、地域住民を包括的に支援することを目的に、**2006（平成18）年度施行改正介護保険法**により創設。**市町村**が主体となり、**日常生活圏域（おおむね人口2～3万人に1か所）**に設置。実施は市町村または市町村から委託を受けた法人等となる。
事業内容	**①総合相談支援　②権利擁護　③包括的・継続的ケアマネジメント支援　④介護予防ケアマネジメント**
配置職種	**①社会福祉士　②保健師　③主任介護支援専門員**　等

★地域包括支援センター運営協議会……地域包括支援センターの公正・中立な立場の確保を図るため、原則として、各市町村に設置されている。

●地域ケア会議

概要	高齢者個人に対する支援の充実と、それを支える社会基盤の整備とを同時に進めていく、**地域包括ケアシステム**の実現に向けた手法である。
主催	**市町村**や**地域包括支援センター**が主催するものであり、市町村に対しては、設置するように努めなければならないという努力義務を課している。
構成員	自治体職員、地域包括支援センター職員、介護支援専門員（ケアマネジャー）、民生委員、医師など、議題に合わせて必要な専門職などが参加する。
機能	**①個別課題解決機能**、**②ネットワーク構築機能**、**③地域課題発見機能**、**④地域づくり・資源開発機能**、**⑤政策形成機能**の５つの機能がある。

■障害者総合支援法

ココが重要！

◎障害者総合支援法は、障害の有無にかかわらず国民が相互に人格と個性を尊重し安心して暮らせる地域社会を実現するため、「障害者自立支援法」を改正するかたちで2013（平成25）年４月から施行された。

◎「障害者」の範囲には身体障害者、知的障害者、精神障害者（発達障害者を含む）に加え、難病等の患者が含まれている。

◎障害者総合支援法に基づくサービスは、自立支援給付と地域生活支援事業で構成されている。

◎必要とされる支援の度合いを障害支援区分（区分１～６の６段階）で表し、その数値が高いほど支援の必要性が高いことを示している。

◎介護給付や訓練等給付を利用するには、サービス等利用計画の作成が必要である。

◎障害福祉サービスを利用した場合の利用者負担は、負担能力に応じて支払う応能負担となる。

◎相談支援には基本相談支援、地域相談支援、計画相談支援がある。地域相談支援と基本相談支援は一般相談支援事業者、基本相談支援と計画相談支援は特定相談支援事業者がそれぞれ担う。

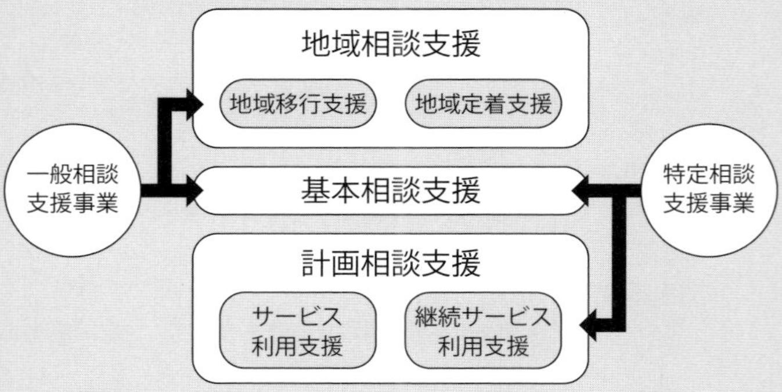

◎地方公共団体は福祉、雇用、医療、教育等の関係者や障害者とその家族等の連携によって、地域での支援体制を整備するため、協議会を設置するよう努めなければならない。

●障害者総合支援法における「障害者」の範囲

・18 歳**以上**が障害**者**、18 歳**未満**が障害**児**
・身体障害者、知的障害者、精神障害者（発達障害者を含む）、**難病**等の患者

●障害者総合支援法におけるサービス体系――自立支援給付と地域生活支援事業

- **自立支援給付**
  - **介護給付**　…生活または療養する上で必要な**介護**を受けた場合に支給
  - **訓練等給付**　…**就労**につながる支援等を受けた場合に支給
  - **自立支援医療**　…以前の**更生**医療、**育成**医療、**精神通院**医療を統合したもので、**医療費**の自己負担軽減策として、医療を受けた場合に支給
  - **補装具**　…補装具を購入・修理・借受けした場合に**補装具費**として支給
  - **相談支援**　…**基本相談支援**、**地域相談支援**、**計画相談支援**に大別
- **地域生活支援事業**
  - **市町村地域生活支援事業**　…虐待防止のための**相談支援**、手話通訳者等を派遣する**意思疎通支援**、**日常生活用具給付**、**成年後見制度利用支援**、外出のための**移動支援**　等
  - **都道府県地域生活支援事業**　…高次脳機能障害等の専門性の**高い**相談支援、意思疎通支援を行う者の派遣に係る市町村相互間の**連絡調整**　等

●障害福祉サービスの利用方法

希望するサービス	支給決定の方法
介護給付	・**市町村**に支給申請を行う。 ・**障害支援区分（区分 1 ～ 6）**の認定を受ける。 ・利用者の介護者や住居の状況、地域生活の様子等をもとに支給の必要性を勘案し、支給するかどうかを決定する。
訓練等給付	・**訓練等給付**を希望する場合は、障害支援区分の認定は**必要ない**。 ・ただし、訓練等給付の中にある**共同生活援助**（グループホーム）の利用については、障害支援区分の認定が必要となる場合がある。

＋

・実際に介護給付や訓練等給付を利用するには、**相談支援専門員**と相談する中で**サービス等利用計画**を作成することが必要となる。
・各事業所に配置された**サービス管理責任者**は、利用者の意向・適性・障害の特性等を踏まえた**個別支援計画**を作成し、これに基づき障害福祉サービスを提供する。
・利用者負担は、家計に応じた**応能負担**となる。

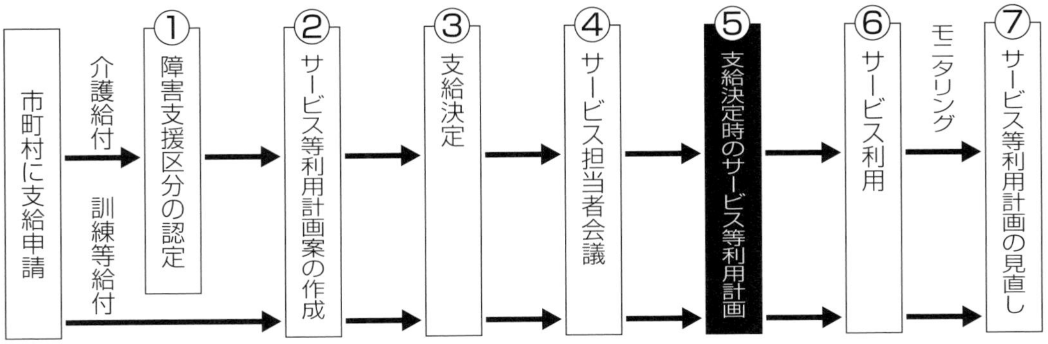

●相談支援の種類と内容

①基本相談支援	障害者やその家族等からの相談に応じ、情報提供や助言に加え、市町村や障害福祉サービス事業者との連絡調整を行う。ただし、計画相談支援に関する内容を除く。
②地域相談支援	障害者支援施設に入所している障害者や精神科病院に入院している精神障害者に対して住居の確保や地域生活に移行するための相談支援を行う**地域移行支援**と、居宅で単身生活をする障害者に対して常時の連絡体制の確保や緊急事態等の相談支援を行う**地域定着支援**がある。
③計画相談支援	障害福祉サービスを利用する障害者や障害児に対し、**サービス等利用計画**の作成や計画の見直し等を行う。サービス等利用計画の作成は、**相談支援専門員**が行う。

■生活保護制度と生活困窮者自立支援法

ココが重要!

◎生活保護制度では、生活保護の基本原理と保護の4原則を定めている。
◎保護の補足性の原理では、その最低限度の生活の維持のために資産や能力、その他あらゆるものを活用することを保護の要件としている。ただし、年金や稼働収入、所有する家、自動車等がある場合であっても、総合的にみて生活が困窮している状況下ならば、保護が適用されることもある。
◎生活保護は、原則として世帯を単位とする。
◎保護の種類には、①生活扶助、②教育扶助、③住宅扶助、④医療扶助、⑤介護扶助、⑥出産扶助、⑦生業扶助、⑧葬祭扶助の8種類がある(8つの扶助)。
◎生活保護法に関する業務を行う機関として、福祉事務所がある。

●生活保護の原理・原則

生活保護の基本原理	①**国家責任による最低生活保障**の原理 ②**無差別平等**の原理 ③**健康で文化的な最低生活保障**の原理 ④**保護の補足性**の原理	保護の4原則	①**申請保護**の原則 ②**基準および程度**の原則 ③**必要即応**の原則 ④**世帯単位**の原則

●「8つの扶助」の概要

保護の種類	主な支給範囲	基本的な給付方法
生活扶助※1	・衣食等、日常生活で必要なもの(被服費、食費、水道光熱費等) など	金銭給付
教育扶助	・義務教育に伴って必要な学用品 など	金銭給付
住宅扶助	・住居(家賃) ・補修 など	金銭給付
医療扶助	・診察 ・医学的処置 ・移送(通院移送費) など	**現物給付**
介護扶助※2	・居宅サービス ・施設サービス ・住宅改修 ・福祉用具 など	**現物給付**
出産扶助	・分べんの介助 ・脱脂綿等の衛生材料 など	金銭給付
生業扶助	・生業に必要な資金 ・就労に必要なもの など	金銭給付
葬祭扶助	・検案 ・死体の運搬 ・火葬 ・埋葬 など	金銭給付

住宅改修や福祉用具の購入など、現物給付が難しいものについては、金銭給付によって支給

※1 65歳以上の生活保護利用者で介護保険料の支払が困難な場合→生活扶助から支給
※2 生活保護利用者が介護サービス費の自己負担分(1割)の支払が困難な場合→**介護扶助**から支給

●生活困窮者自立支援法

対象	生活保護の**対象ではない**が、**最低限度の生活**が維持できなくなるおそれのある者
目的	**生活困窮者**への自立支援策を強化し、その**自立促進を図る**こと

領域Ⅱ 介護

みんなが高得点！ だからこそ油断大敵!!!

領域Ⅱ「介護」は、「介護の基本」「コミュニケーション技術」「生活支援技術」「介護過程」の４科目で構成されています。この領域では、介護福祉実践に必要な知識を中心に学習していきます。学習のボリュームとしてはかなり多いですが、日常生活で耳目《じもく》に触れるような用語が多く含まれているだけでなく、法制度と違って難しい用語も少ないので、スムーズに学習を進めることができるでしょう。
試験においては、他の領域に比べると、理解しやすい内容が多く含まれており、試験問題の難易度も低くなっているため、受験生の多くが高得点をとることができます。言い方をかえれば、この領域でミスが多いと、合格から遠ざかってしまいます。そのため、まずはこの領域で８～９割程度の得点が獲得できるようにレベルアップを図る必要があります。

介護の基本

【学習のテクニック】
学習範囲が広いため、これまでの試験で頻繁に出題されている内容（介護福祉士の義務・倫理・資格、ICF、介護保険サービス、介護福祉職の安全と労働など）を中心に学習する。出題回数が少ない箇所については、過去問題を確実におさえた上で予想模試などを活用して理解を深めるようにする。

■介護福祉士の義務・倫理

ココが重要！
◎介護福祉士は、社会福祉士及び介護福祉士法に基づく、名称独占の国家資格である。
◎介護福祉士には誠実義務、秘密保持義務、資質向上の責務等が課せられている。
◎一定の要件を満たした介護福祉士は、医師の指示の下、喀痰《かくたん》吸引等の業務にあたることが可能となった。

●社会福祉士及び介護福祉士法で規定する介護福祉士の義務等

誠実義務	介護福祉士は、担当する者が**個人の尊厳**を保持し、自立した日常生活を営むことができるよう、常に**その者の立場に立って**、**誠実**にその業務を行わなければならない。
信用失墜《しっつい》行為の禁止	介護福祉士は、**介護福祉士の信用**を傷つけるような行為をしてはならない。違反した際は、登録の**取り消し**、または期間を定めて介護福祉士の**名称使用制限**となる。
秘密保持義務	介護福祉士は、正当な理由がなく、**その業務に関して知り得た人の秘密**を漏らしてはならない。介護福祉士でなくなった後においても、同様である。違反した際は、**１年以下の懲役**または**30万円以下の罰金**に加え、登録の**取り消し**または期間を定めて介護福祉士の**名称使用制限**となる。
連携	介護福祉士は、業務を行うにあたり、担当する者に、認知症であること等の心身の状況その他の状況に応じて、福祉サービス等が総合的かつ適切に提供されるよう、**福祉サービス関係者等との連携**を保たなければならない。
資質向上の責務	介護福祉士は、社会福祉及び介護を取り巻く環境の変化による業務の内容の変化に適応するため、相談援助又は介護等に関する**知識及び技能の向上**に努めなければならない。
名称の使用制限	介護福祉士でない者は、介護福祉士という名称を使用してはならない。**→名称独占**

●資格の分類

名称独占	資格を持たない者が、その名称を勝手に使用してはならないということ（**社会福祉士、介護福祉士、精神保健福祉士**など）
業務独占	資格を持たない者は該当する業務を行うことができないということ（**医師、看護師**など）

■介護福祉士の資格と倫理綱領

ココが重要!

◎1987（昭和 62）年に社会福祉士及び介護福祉士法が成立し、介護福祉士という国家資格が成立。

◎介護福祉士国家試験に合格したうえで、介護福祉士登録簿に登録して初めて資格を得ることができる。

◎2017（平成 29）年 10 月に示された「求められる介護福祉士像」の中には「身体的な支援だけでなく、心理的・社会的支援も展開できる」といった内容のほか、介護福祉士が「介護職の中で中核的な役割を担う」ことも明記されている。

◎介護福祉士は、更新が不要な国家資格である。ただし、欠格事由がある場合は介護福祉士になれない。例えば、禁錮《きんこ》以上の刑に処せられ、その執行を終わり、または執行を受けることがなくなった日から起算して 2 年を経過しない者は欠格事由に該当する。

●日本介護福祉士会倫理綱領

利用者本位、自立支援	介護福祉士は、すべての人々の**基本的人権を擁護**し、一人ひとりの住民が心豊かな暮らしと老後が送れるよう**利用者本位の立場から自己決定を最大限尊重**し、**自立に向けた介護福祉サービスを提供**していきます。
専門的サービスの提供	介護福祉士は、**常に専門的知識・技術の研鑽《けんさん》に励む**とともに、豊かな感性と的確な判断力を培い、深い洞察力をもって専門的サービスの提供に努めます。 また、介護福祉士は、介護福祉サービスの質的向上に努め、自己の実施した介護福祉サービスについては、常に**専門職としての責任**を負います。
プライバシーの保護	介護福祉士は、**プライバシーを保護**するため、職務上知り得た個人の情報を守ります。
総合的サービスの提供と積極的な連携、協力	介護福祉士は、利用者に最適なサービスを総合的に提供していくため、福祉、医療、保健その他関連する業務に従事する者と**積極的な連携**を図り、協力して行動します。
利用者ニーズの代弁	介護福祉士は、暮らしを支える視点から利用者の**真のニーズを受けとめ**、それを**代弁**していくことも重要な役割であると確認したうえで、考え、行動します。
地域福祉の推進	介護福祉士は、**地域において生じる介護問題を解決**していくために、専門職として常に積極的な態度で**住民**と接し、介護問題に対する深い理解が得られるよう努めるとともに、その介護力の強化に協力していきます。
後継者の育成	介護福祉士は、すべての人々が将来にわたり安心して質の高い介護を受ける権利を享受できるよう、介護福祉士に関する**教育水準の向上と後継者の育成**に力を注ぎます。

■国際生活機能分類（ICF）

ココが重要!

◎国際生活機能分類（ICF）は、2001 年の WHO 総会で国際障害分類（ICIDH）の改訂版として採択。

◎ ICF は、「健康状態」「心身機能・身体構造」「活動」「参加」「個人因子」「環境因子」で構成されている。

●国際生活機能分類（ICF）の概念

健康状態	**病気・けが**に加え、高齢、妊娠、**ストレス**等の健康上の問題	
生活機能	心身機能・身体構造	心身の生理機能、身体の解剖学的部分
	活動	ADL（移動·食事·入浴·排泄《はいせつ》等）や IADL（調理・洗濯・掃除等）など、個人の課題・行為に対する遂行《すいこう》
	参加	社会的な出来事への**関与**、生活上の**役割**　など
背景因子	個人因子	**年齢**、性別、**生活歴**、趣味、**嗜好**、**思い**、**希望**、価値観　など
	環境因子	**本人以外**の人、物、建物、制度、サービス　など

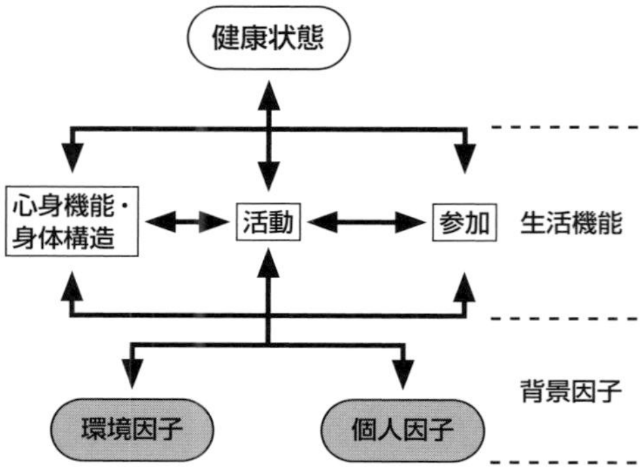

●国際障害分類から国際生活機能分類への変遷

国際障害分類（ICIDH）

・「障害」というマイナス面だけに焦点を当てた考え方
・一方向的な関係

国際生活機能分類（ICF）

・「その人」に関するマイナス面だけでなく、プラス面にも着目した考え方
・影響し合う要素の相互関係
・医学モデルと社会モデルを統合した生物・心理・社会的アプローチ

1980年 ― 国際障害分類の考えに批判 ― 障害当事者の参加を得て検討 → **2001年**

■リハビリテーションとその種類

ココが重要！

◎**リハビリテーションは、身体機能やADLの回復にとどまらず、その人が再び人間らしく生きるという全人間的復権を目指すものである。**
◎**リハビリテーションの領域には、医学的リハビリテーション、教育リハビリテーション、職業リハビリテーション、社会リハビリテーションがある。**
◎**理学療法士は主に基本的動作能力の回復、作業療法士は主に応用的動作能力や社会的適応能力の回復を図る。言語聴覚士は発語や摂食・嚥下《えんげ》の訓練などを行う。**

●リハビリテーションの４つの領域

医学的リハビリテーション	・病院や診療所において医師、看護師、理学療法士、作業療法士、言語聴覚士等が**チームアプローチ**を展開し、**心身機能の回復・維持・向上**を図る。 ・**関節可動域（ROM）訓練**、筋力増強訓練、歩行訓練、ADL 訓練、**利き手交換訓練**等が行われる。
教育リハビリテーション	・障害のある子どもや大人等が自己実現を図れるように**教育**の機会を提供する。 ・障害のある児童・生徒に対しては、学習上の課題や生活上の困難に対応するため、**特別支援教育**が行われている。
職業リハビリテーション	・職業指導、職業訓練、職業選択等を通し、適切な**就職の確保・継続**を図る。 ・**精神障害者**等を対象に職場復帰に向けたリハビリテーションとして**リワークプログラム**が行われている。
社会リハビリテーション	・社会の中で自分のニーズを満たし、最大限の豊かな社会参加を実現する権利を行使する**社会生活能力**を高めるための社会的な条件整備を行う。 ・**バリアフリー**や**ユニバーサルデザイン**による環境整備も含まれる。

●主なリハビリテーションの専門職

理学療法士（PT）	厚生労働大臣の免許を受けて、理学療法士の名称を用いて、医師の指示の下、身体に障害のある者に対し、主に**基本的動作能力**の回復を図るため、治療体操などの運動に加え、電気刺激、マッサージ、温熱などの**物理療法**を行う専門職
作業療法士（OT）	厚生労働大臣の免許を受けて、作業療法士の名称を用いて、医師の指示の下、身体や精神に障害のある者に対し、主に**応用的動作能力**や**社会的適応能力**の回復を図るため、手芸や工作などの作業療法を行う専門職
言語聴覚士（ST）	厚生労働大臣の免許を受けて、言語聴覚士の名称を用いて、医師または歯科医師の指示の下、診療の補助として、**言語訓練**や**摂食・嚥下《えんげ》訓練**、人工内耳の調整、必要な検査・指導などを行う専門職

■介護保険サービス

ココが重要！

◎**居宅サービスのうち、要支援１・２を対象とする予防給付には「訪問介護」と「通所介護」がない。**
◎**居宅サービスは都道府県知事、地域密着型サービスは市町村長、施設サービスは都道府県知事、居宅介護支援や介護予防支援は市町村長がそれぞれ指定する。**
◎**訪問介護（ホームヘルプサービス）のうち、医師の指示に基づく腎臓病食、糖尿病食、嚥下《えんげ》困難な人のための流動食等の調理は生活援助ではなく、身体介護の区分となる。**
◎**介護保険制度では、来客の応接（お茶出しや食事の手配等）、草むしり、ペットの世話、部屋の模様替え・修繕、行事食（お節料理等）の調理等は、訪問介護の対象外となっている。**

●主な居宅サービスの種類と特徴

<table>
<tr><td>訪問介護
（ホームヘルプサービス）</td><td colspan="2">・居宅サービス計画に沿って、サービス提供責任者が訪問介護計画を作成。
・サービス内容は身体介護と生活援助に大別でき、そのなかで相談・助言も行われる。自立支援・重度化防止を図るため、安全を確保したうえで、利用者と一緒に掃除や調理、洗濯などを行う見守り的援助は、生活援助ではなく、身体介護に含まれる。</td></tr>
<tr><td>訪問入浴介護</td><td colspan="2">・サービスの提供体制は、原則、１回の訪問につき、看護職員１人と介護職員２人の３人で行うが、介護職員３人で行う場合もある。</td></tr>
<tr><td>居宅療養管理指導</td><td colspan="2">・医師、歯科医師、薬剤師、管理栄養士、歯科衛生士等が、通院が困難な利用者の居宅を訪問して行う。</td></tr>
<tr><td>通所介護（デイサービス）</td><td colspan="2">・デイサービスセンターで食事や入浴等の支援のほか、レクリエーション等を提供する。</td></tr>
<tr><td>短期入所生活介護
（ショートステイ）</td><td colspan="2">・介護老人福祉施設などに短期間入所する利用者に行う。</td></tr>
<tr><td>特定施設入居者生活介護</td><td colspan="2">・有料老人ホームや養護老人ホームなどの特定施設に入居する利用者に対し、特定施設サービス計画に基づき、介護、機能訓練、療養上の世話などを提供する。</td></tr>
<tr><td>福祉用具貸与</td><td>・居宅要介護者に福祉用具を貸与（レンタル）するサービスである。
・福祉用具貸与対象の福祉用具には、13 種類がある。</td><td rowspan="2">固定用スロープ、歩行器（歩行車を除く）、単点杖（松葉杖を除く）、多点杖は貸与・販売を選択可能</td></tr>
<tr><td>特定福祉用具販売</td><td>・居宅要介護者に特定福祉用具を販売するサービスである。
・特定福祉用具販売対象の福祉用具には、６種類がある。</td></tr>
</table>

●主な地域密着型サービスのポイント

夜間対応型訪問介護	・**夜間**における定期的な**巡回訪問**や利用者等からの連絡による**随時訪問**を行い、入浴・排《はい》泄《せつ》・食事等の介護を提供する。
認知症対応型通所介護	・単独型・併設型の利用定員は **12 人以下**となっている。
小規模多機能型居宅介護	・事業所の登録定員は、**29 人以下**に設定しなければならない。 ・利用者の希望に応じて、**通い**サービス、**訪問**サービス、**短期宿泊**サービスを適切に組み合わせて提供する。
認知症対応型共同生活介護（認知症グループホーム）	・認知症がある要介護者を対象に、共同生活住居において、家庭的な環境と地域住民との交流の下で介護や機能訓練などを提供する。 ・１ユニットの入居定員は、**５人以上９人以下**である。３ユニットまで開設できる。
定期巡回・随時対応型訪問介護看護	・**日中・夜間**を通じて、**訪問介護**と**訪問看護**が一体的または密接に連携しながら、**定期巡回**と**随時対応**を行うサービスである。 ・**オペレーター**の資格要件として、医師、看護師、社会福祉士、介護福祉士、介護支援専門員などが含まれている。
看護小規模多機能型居宅介護	・**訪問看護**と**小規模多機能型居宅介護**を組み合わせて一体的に提供する。 ・看護小規模多機能型居宅介護事業所の登録定員は **29 人以下**に設定しなければならない。

●施設サービスのポイント

介護福祉施設サービス	**介護老人福祉施設**に入所する要介護者に対し、施設サービス計画に基づき、介護、機能訓練、健康管理、療養上の世話などを提供する。**要介護３～５**の利用者が対象となる。
介護保健施設サービス	**介護老人保健施設**に入所する要介護者に対し、**居宅（自宅等）への復帰**を目的として、施設サービス計画に基づき、看護や医学的管理下での介護などを提供する。
介護医療院サービス	**介護医療院**に入院する要介護者に対し、施設サービス計画に基づき、療養上の管理、看護、医学的管理の下における介護や機能訓練、日常生活上の世話などを提供する。

■介護支援専門員とケアマネジメント

ココが重要！

◎ケアマネジメントはインテーク→アセスメント→ケアプラン作成→ケアプラン実施→モニタリング→評価の流れで展開され、介護過程とは異なる。

◎居宅サービス計画は、一般的に居宅介護支援事業所の介護支援専門員（ケアマネジャー）が作成する。

●介護支援専門員（ケアマネジャー）

- 2000（平成 12）年４月に施行した**介護保険制度**で創設された公的資格
- **居宅介護支援事業所**や**介護保険施設**（介護老人福祉施設、介護老人保健施設、介護医療院）等に配置
- **ケアマネジメント**に基づき**ケアプラン**（居宅サービス計画や施設サービス計画等）を作成
- 年に１回実施される**介護支援専門員実務研修受講試験**に合格し、実務研修を修了後、各都道府県に登録
- 介護支援専門員証の有効期間は**５年**で**更新**が必要

●サービス担当者会議

目的	・利用者の状況等に関する**情報共有**を図る。 ・**ケアプラン**（居宅サービス計画等）の内容について検討する。
招集者	・担当の**介護支援専門員**（ケアマネジャー）
参加者	・利用者、家族、介護支援専門員、各専門職・担当者等 ※利用者の氏名を**匿名化する必要はない**。 ※利用者が参加できない場合は、事前に利用者の思いや希望等を確認し、それを**代弁**できるようにしておく。
開催時期	・新規に**ケアプラン**（居宅サービス計画等）に基づくサービスを利用する前、利用者の身体状況に**変化**が生じた時、何かしらの**問題が発生**した時等に開催 ※開催頻度の**義務規定はない**。
開催場所	・利用者の**自宅**とは限らない。状況に応じて、利用者が入院している**病院**、利用者が入所している**介護老人保健施設**等でも開催する。

■介護福祉職の安全と労働

ココが重要！

◎労働基準法では、賃金や労働時間などが規定されている。
◎労働安全衛生法では、安全衛生教育や健康教育、ストレスチェック制度などが規定されている。
◎育児・介護休業法は男女ともに適用され、育児休業、介護休暇、介護休業などが規定されている。

●労働基準法

労働時間	使用者は、労働者に休憩時間を**除いて**１週間の労働時間：**40**時間、１日の労働時間：**8**時間を超えて労働させてはならない。
有給休暇	年10日以上の年次有給休暇が付与される労働者に対し、年次有給休暇の日数のうち年**5**日については、使用者が時季を指定して取得させる。

●労働安全衛生法

ストレスチェック制度	労働者50名以上の全事業所に**ストレスチェック**を義務づけ、労働者のメンタルヘルス不調の未然防止や職場環境の改善につなげる。

●育児休業、介護休業等育児又は家族介護を行う労働者の福祉に関する法律（育児・介護休業法）

育児休業制度	子が**１歳**（保育所に入所できない等、一定の理由がある場合は最長**２歳**）に達するまで（父母ともに育児休業を取得する場合は、子が１歳２か月に達するまでの間の１年間）、その事業主に申し出ることによって**育児休業**を取得できる。また、改正育児・介護休業法により、2022（令和４）年10月以降は、①育休とは別に男性が子どもの出生後８週間以内に**４週間まで育児休業**を取得できる**産後パパ育休**、②原則１回の育児休業を男女とも**分割して２回**まで取得できる**分割取得**が可能となった。
子の看護休暇制度	小学校就学の始期に達するまでの子を養育する労働者は、その事業主に申し出ることにより、原則、１年度において**５労働日**（該当する子が２人以上の場合は10労働日）を限度に取得でき、**時間単位**の取得も可能である。
介護休暇制度	要介護状態にある対象家族の介護などを行う労働者は、その事業主に申し出ることにより、１年度において**５労働日**（要介護状態にある対象家族が２人以上の場合は10労働日）を限度に取得でき、**時間単位**の取得も可能である。
介護休業制度	負傷、疾病または身体上もしくは精神上の障害により、**２週間以上**の期間にわたり常時介護を必要とする状態にある対象家族（配偶者、父母、子、祖父母等）の介護や日常生活上の世話をするためのものであり、対象家族１人につき、**３回を上限**として**通算93日**まで**分割取得**することができる。

目標は80%!

コミュニケーション技術

【学習のテクニック】

コミュニケーション技法やバイステックの７原則など覚えなければならない用語が多い。難易度は高くないため、過去問題や予想模試を中心に学習を進め、わからなかった箇所を参考書で確認する方法が正答への近道となる。

■コミュニケーションを図る際の基本姿勢

ココが重要!

◎イーガンは、コミュニケーションを図る際の動作・態度の基本となる「SOLER《ソーラー》」を提唱した。

◎「ジョハリの窓」とは、自分を４つの窓（カテゴリー）に分類して理解しようとする方法である。

●関わりを示す５つの基本動作（SOLER《ソーラー》）

S	**まっすぐ向き合う**（Squarely）
O	**開かれた姿勢**（Open）
L	**身体**を相手に傾ける（Lean）
E	**視線**を合わせる（Eye contact）
R	**リラックス**した状態（Relaxed）

●ジョハリの窓

開放	自分だけでなく、他者も知っている。**自己開示**では、この部分を**大きく**する。
盲点	自分は知らないが、他者は知っている。
隠蔽《いんぺい》	自分は知っているが、他者は知らない。
未知	自分だけでなく、他者も知らない。

●バイステックの７原則

個別化の原則	利用者を**個別的**にとらえて問題解決を図ること
自己決定の原則	利用者が、**自分の意思によって決定**できるように支援すること
受容の原則	利用者の性格や行動傾向などを**あるがまま受け入れる**こと
非審判的態度の原則	利用者の言動に対し、社会的基準や援助者の価値観によって、**批判や評価をしない**こと
意図的な感情表出の原則	利用者が、**自分の考えや感情を表現**できるように支援すること
統制された情緒的関与の原則	援助者は、利用者が表出した感情に対して**感情的にならずに情緒的関与を行う**こと
秘密保持の原則	利用者の個人情報や相談内容などの**秘密を遵守**すること

■主なコミュニケーション技法

ココが重要!

◎自己開示や傾聴などのコミュニケーション技法を適切に活用することは、利用者とのラポール（信頼関係）の形成につながる。

明確化	利用者とコミュニケーションを図っている際、利用者がうまく発言または表現できない場合に、その内容について、援助者がくみ取って**明確に表現**することにより、利用者が次の展開・話題に移行できる効果がある。
傾聴	援助者が、利用者にとって**話しやすい表情・視線・態度**をとり、利用者の話を受容的かつ**能動的に聴く**技法である。利用者の話す内容だけでなく、感情や価値観なども総合的に聴く。
要約	援助者が**利用者の発言を要約**することで、援助者が利用者の問題に理解を示していることを伝えることができるだけでなく、利用者自身が自分の話を理解し、問題の焦点を明確にできる効果がある。
言い換え	相手が話した内容を**別の言葉を使って返す**ことである。
繰り返し	利用者の話を聞き、それを**繰り返す**技法である。
反射	利用者の言葉や表情等から相手の**感情**を受け取り、それを相手に伝えることである。
沈黙	利用者が**話したくない時**や**考えている時**等、援助者は黙ったまま、**寄り添って待つ**姿勢が求められる。
直面化	利用者が**自分自身と向き合う機会を提供**するため、利用者の**感情と行動の矛盾点**を援助者が指摘する。
アサーション	**「アサーティブ・コミュニケーション」**とも呼ばれる。より良い人間関係を築くため、相手を尊重し配慮しながら**自分の意思や意見を相手に率直かつ適切に伝える**コミュニケーション方法のことである。

■質問技法の種類

ココが重要!

◎利用者の基本情報を確認する場合には、閉じられた質問を活用することが有効である。
◎利用者一人ひとりの意見や主訴等を聴く場合には、開かれた質問を活用するとよい。

閉じられた質問 （クローズドクエスチョン）	**「はい」「いいえ」で回答**、または**簡単な単語で短く回答**できる質問 例：「魚は好きですか」「サンマにしますか。それともアジにしますか」
開かれた質問 （オープンクエスチョン）	**自由度が高く、様々な回答**ができる質問 例：「そのことについて、どう思われていますか」
「なぜ」の質問	「なぜ～ですか？」というような質問を多用した場合、相手は尋問を受けているように感じてしまうため、**使用する際は注意**する。

■障害の特性に応じたコミュニケーション方法

ココが重要!

◎視覚障害がある場合、介護福祉職から名乗って声かけする。その際、「こそあど」言葉の使用は避ける。
◎伝音性難聴がある場合は、耳元でその利用者が聞き取れる大きさの声でゆっくりと話す。感音性難聴がある場合は、その利用者の顔を見て、筆談や写真、絵等を併用しながらゆっくりと話す。
◎抑うつや不安がある場合は、受容的な態度で接し、安易に励まさない。

●聴覚障害者とのコミュニケーション

難聴者
会話の場面：静かで明るい場所 対面で会話の速さは自然に 重要項目の伝達：文書で手渡す 福祉用具：**補聴器**、聴覚障害者用室内信号装置など
中途聴覚障害者
筆談の場合：情報提供には優れるが労力と時間がかかる 読話の場合：1～1.5m の距離で行う。聞き手の疲労が大きい
先天性聴覚障害者
一般的には**手話**が有効

●失語症がある者とのコミュニケーション

運動性失語（ブローカ失語）
・他人の話すことは理解できるが、自分の考えを言葉として表現できない。 ・発語ができず、読み書きも行えない。 ・**絵や写真**など視覚化された情報を理解し、イメージすることはできる。 ・「はい」か「いいえ」で回答する二者択一の**閉じられた質問**も有効である。
感覚性失語（ウェルニッケ失語）
・他人の話す言葉などを理解できない。 ・**意味のない言葉を流暢に話す**ことがある。 ・**身ぶりや手ぶり**を活用してコミュニケーションを図る。

■介護記録

ココが重要!

◎介護記録を含め、利用者に関する情報を使用する際は、事前にその使用目的やプライバシーの保護等について利用者にわかりやすく丁寧に説明し、同意を得る必要がある。
◎記録は客観的事実に沿って記述する。主観的意見を記述する際は、客観的事実とは区別する。
◎記録には利用者の基本情報を示すフェイスシート、生活課題を抽出するためのアセスメントシート、日々の支援経過を示す経過記録等がある。
◎ SOAP《ソープ》方式の記録では、S（subjective data）の主観的情報、O（objective data）の客観的情報、A（assessment）のアセスメント、P（plan）の計画について、それぞれ整理して記載する。

●文体の違いによる介護記録の種類

叙述体《じょじゅつたい》	利用者の変化等を**時間の流れ**に沿って記録	逐語体《ちくご》	利用者と介護福祉職のやりとりを**省略せずにそのまますべて**記録
要約体	支援内容・方法や結果等について**要点を整理**して記録	説明体	生じた出来事とそれに対する介護福祉職の**解釈や考察**を記録

目標は80%！

生活支援技術

【学習のテクニック】
この科目では、入浴介護や移動介護などの介護方法を中心に学習する。介護を行う順序や方法は、人形を活用したり、家族や友人に協力してもらったりして、実際に演習してみると、頭だけでなく、体でも覚えられ、効果的である。

■住宅改修

ココが重要！

◎介護保険制度における住宅改修費の支給限度基準額は 20 万円であり、そのうち9割（一定以上の所得者は 8 割、現役並みの所得者は 7 割）分が支給される。
◎住宅改修費支給の申請は、事前申請制を採用している。

●主な住宅改修費支給対象工事

1	手すりの取付け	廊下やトイレなどへの**手すり**の設置
2	段差解消	**スロープ**の設置や床段差緩和工事などの実施
3	床材の変更	浴室などの床材を**滑りにくい**材質へ変更
4	扉の取替え	開き戸から**引き戸**などへの変更、**ドアノブ**の変更、戸車の設置、引き戸などの新設
5	便器の取替え	和式便器から**洋式便器**への取替え、便器の位置・向きの変更

★その他付帯する工事も支給対象に含まれる。

■福祉用具

ココが重要！

◎介護保険制度における福祉用具購入費の支給限度基準額は 10 万円である。
◎福祉用具貸与対象種目は 13 種目あり、特定福祉用具販売対象種目は6種目ある。

●福祉用具貸与対象種目

①**車いす**　②車いす付属品　③**特殊寝台**
④特殊寝台付属品　⑤**手すり**　⑥床ずれ防止用具
⑦体位変換器　⑧**歩行器**　⑨**スロープ**
⑩**歩行補助杖**
⑪認知症老人徘徊《はいかい》感知機器
⑫**移動用リフト**（**つり具部分**を除く）
⑬**自動排泄《はいせつ》処理装置**（**交換可能部品**を除く）

2024（令和６）年４月より、固定用スロープ、歩行器（歩行車を除く）、単点杖（松葉杖を除く）、多点杖は販売も選択できるようになった。

●特定福祉用具販売対象種目

①**腰掛便座**
②自動排泄《はいせつ》処理装置の**交換可能部品**
③**排泄予測支援機器**※
④**入浴補助用具**
⑤簡易浴槽
⑥移動用リフトの**つり具部分**

※排泄予測支援機器とは、膀胱《ぼうこう》内の状態を感知し、尿量が一定量に達したと推定された際に、排尿の機会を利用者本人や家族等に自動で通知する。これにより、トイレでの自立した排尿が可能になることが期待されている。

■日常生活における介護の方法

ココが重要！

◎仰臥位《ぎょうがい》から側臥位《そくがい》への体位変換では、利用者の膝と肩を支えながら、膝→腰→肩の順に行う。
◎車いすでの移動介護で坂道を上がる場合は、しっかりと支えながら前向きで進む。坂道を下りる場合は、周囲の安全確認を行いながら、ゆっくり後ろ向きで下りる。
◎スライディングボードを使用したベッドから車いすへの移乗では、ベッドの高さを車いすの座面よりも少し高くしておく。
◎片麻痺《かたまひ》がある利用者の衣服の着脱では、健側から脱ぎ、患側から着る「脱健着患《だっけんちゃっかん》」が原則となる。

●片麻痺《かたまひ》がある利用者のベッドから車いすへの移乗介護

①移乗の目的を**説明**して**同意**を得た後、**体調確認**や車いすの**点検**を行う。
②車いすの**ブレーキはかけた状態**で、端座位になっている利用者の**健側斜め**に置く。**レッグサポート**は外し、**フットサポート**は上げておく。
③利用者は**浅く**座り、前傾姿勢をとり、**健側**の手でアームサポートを握る。
④重心移動させながら、**健側**下肢を軸にして車いすに移乗する。その際、介護福祉職は利用者の膝折れを防ぐため、**患側**下肢を保護する。
⑤自走（操）する場合は、患側の足を**フットサポート**に乗せ、健側の足でこぐようにする。

●主な住環境整備

玄関	引き戸が望ましい。**手すり**のほか、靴を履くためのいす等を設置する。**上がりがまち**の段差解消。車いすを使用する際は、**スロープ**を設置する。
階段	できれば**両側**に手すりを設置する（片側しか設置できない場合は、下りる時に**健側**または利き手側で握れるように設置）。踏面《ふみづら》に **30 ～ 33**cm の奥行きがあり、蹴《け》上《あ》げは **11 ～ 16**cm 程度の高さとし、勾配を緩やかにする。**足元灯（フットライト）**を設置する。滑りにくく、歩きやすい床材とする。
トイレ	**居室**に近いこと。**洋式トイレ**とする。**引き戸**が望ましい（やむを得ず、開き戸とする場合は**外開き**とする）。立ち座りの動作を支える **L 型手すり**を設置する。ヒートショック予防のため、暖房設備も重要。
浴室	滑りにくい**床材**とする。手すりを設置する。浴槽の縁は床から **40**cm 程度とする。**シャワーチェア**（入浴用いす）や**移乗台**を使って浴槽への出入りをする場合は、シャワーチェアまたは移乗台を浴槽縁と**同じ高さ**に調整する。

●ボディメカニクスを活用した移乗・移動介護の原則

- 安定した姿勢で介護するため、足を肩幅に開く等、**支持基底面を広く**とる。
- **重心を低く**し、利用者にできる限り**近づく**。
- 指先や腕の力に頼るのではなく、大腿四頭筋《だいたいしとうきん》等、**大きな筋群**を使う。
- 腰痛予防のため**身体をねじらず**、**身体や足先を移動方向**に向ける。
- 重力に逆らわないよう**持ち上げず水平に移動**。
- 摩擦を少なくして移動しやすくするため、利用者の身体を**小さくまとめる**。
- 支点・力点・作用点を意識し、少ない力で動かす**てこの原理**を活用する。
- 仰臥位《ぎょうがい》から側臥位《そくがい》への体位変換の際、回転軸から離れているほど少ない力ですむ**トルクの原理**を活用する。

●杖歩行の支援

1	階段を上がる場合は、**杖→健側の足→患側の足**の順に 1 段ずつ上がる。
2	階段を下りる場合は、**杖→患側の足→健側の足**の順に 1 段ずつ下りる。
3	段差や溝を越える場合は、**杖→患側の足→健側**の足の順となる。
4	介護福祉職は、転倒を防ぐため、利用者の**患側後方**または**患側斜め後方**に位置する。ただし、階段を下りる際は、**患側前方**または**患側斜め前方**で見守る必要がある。

●口腔《こうくう》ケア

1	細菌の繁殖を防止する→**誤嚥性《ごえん》肺炎**を予防
2	**口臭**を除去する→気分を爽快に
3	ブラッシングにより血行をよくする→**唾液《だえき》**の分泌を促すとともに歯肉炎を予防
4	座位またはベッド上では**上半身**を起こした体位で行う→誤嚥予防

★義歯の手入れは、**義歯専用ブラシ**と流水で洗い、義歯洗浄剤などに浸《つ》ける。

●食事介護

1	**座位での食事**	可能な限り**座位**を心がける（寝食分離が大切である）。
2	**片麻痺《かたまひ》の場合**	介護福祉職は**健側**から利用者と同じ目線で介護する。
3	**ベッドでの食事**	**仰臥位《ぎょうがい》**は避け、上半身をできる限り**起こし**、頸部《けいぶ》を**前屈**させ、誤嚥《ごえん》しにくくなるようにする。

●入浴介護

1	入浴前後に、**健康状態**をチェックする。
2	脱衣所と浴室との**温度差**が生じないように調節する。
3	目安…湯に浸《つ》かる時間：**5** 分程度、入浴時間：**15** 分程度、湯温：**40**℃程度。
4	湯温を介護福祉職の**手指**や**前腕《ぜんわん》内側**で確認する。
5	頭髪→顔→上肢→体幹→下肢→陰部・臀部《でんぶ》の順で洗う。目の周囲は、**目頭**から**目尻**に向けて清拭《せいしき》する。
6	入浴後は、**水分補給**を促し、保温と休息を図る。

●視覚障害者への移動支援（ガイドヘルプ）

基本	・ガイドヘルプは、介護福祉職の肘《ひじ》の上を視覚障害者につかんでもらい、白杖《はくじょう》（盲人安全杖）を持っている時は、その反対側で、視覚障害者よりも**半歩前**で誘導 ・周囲の状況も説明→「これ」「それ」「あれ」「どれ」等の「こそあど」言葉でなく、**具体的に説明** ・視覚障害者から一時離れる際は、柱や壁等、**触れる物**のある位置まで誘導
狭い所	・介護福祉職は**腕**を身体の後ろにまわし、視覚障害者が介護福祉職の**真後ろ**に入り、**一列**になって移動
ドア	・**開き戸か、引き戸か**、開き戸の場合は**内開きか外開きか**を説明
階段	・階段の前では**いったん停止**し、これから階段を**上がるのか、下るのか**を説明
乗り物	・バスや電車は**介護福祉職**が先に乗る。 ・自動車やタクシーは**視覚障害者**が先に乗る。

目標は80%!

介護過程

【学習のテクニック】

全体的に難しい内容が少ないため、過去問題や予想模試を解いて、わからなかった箇所を参考書で確認するというスタンスで学習することによって、学習時間の効率化を図る。

■介護過程の展開

ココが重要!

◎介護過程の意義・目的として、利用者の望む生活やより良い生活の実現、生活課題の解決、QOL(生活の質)の向上、根拠に基づく支援や個別ケアの展開、多職種連携・協働等が挙げられる。

◎介護過程は、アセスメント→介護計画の作成→実施→評価という流れで行われる。

●介護過程

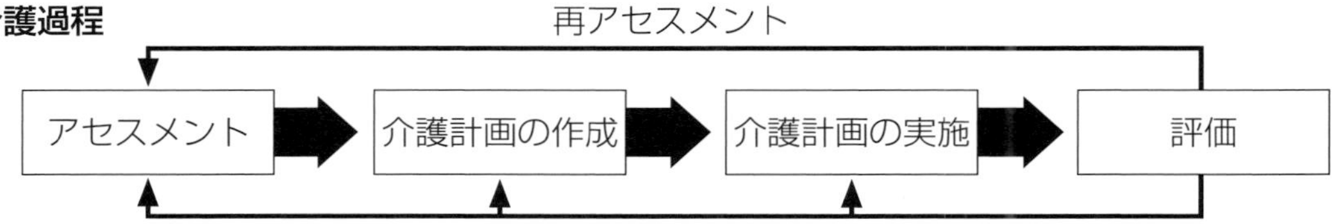

●アセスメントの留意点

・利用者と面接することによって、アセスメントを行うことが基本である。
・面接を行う際には、面接の趣旨を利用者に説明し、理解を得る。
・利用者の心身状態や生活環境などの情報を収集する。
・**情報収集**では、利用者の身体的、心理的、社会的な側面から観察し、全体像をとらえる。
・アセスメントの目的は、利用者が抱える**生活課題**(ニーズ)を明確にすることである。
・目標の達成度が低い場合や利用者に拒否されて介護計画を実施できなくなった場合、利用者の心身の状況が変化した場合などには**再アセスメント**を実施する。

●介護計画の作成における留意点

・利用者の生活課題に基づく**介護計画**とする。
・**5W1H**(When:いつ、Where:どこで、Who:誰が、What:何を、Why:なぜ、How:どのように)を踏まえて具体的に立案する。
・計画内容は、利用者や利用者の家族に**説明**し、理解を得たうえで、利用者の**同意**を得る。
・**長期目標**と**短期目標**を設定する。
・介護計画の**内容・方法**は、抽象的に記述するのではなく、利用者や介護福祉職などが十分に理解できるよう、わかりやすい言葉で具体的に記述する。その際は、介護を行ううえでの**注意点**も明記しておく。
・介護計画には、長期目標と短期目標、具体的な支援内容・方法、目標の達成時期、計画の見直し時期などが盛り込まれる。
・**ケアプラン**(居宅サービス計画や施設サービス計画など)との整合性が図られている必要がある。

●利用者支援に関する主な計画とその作成者

計画の種類	作成者
居宅サービス計画	居宅介護支援事業所の**介護支援専門員**(ケアマネジャー)
介護予防サービス計画	**地域包括支援センター**の保健師など※
訪問介護計画	訪問介護事業所の**サービス提供責任者**
通所介護計画	通所介護事業所の管理者
施設サービス計画	**介護保険施設**の介護支援専門員

※介護保険法改正に伴い、2024(令和6)年4月より居宅介護支援事業者も市町村からの指定を受けて介護予防支援を実施可能となった。

●介護計画の目標

設定上の留意点	・長期目標と短期目標は、ともに**実現可能な目標**とする。 ・短期目標の場合、長期目標の達成に向けた**段階的な目標設定**が必要となる。 ・短期目標を適切に評価するためには、多様な解釈ができる曖昧な目標設定ではなく、具体的な目標設定が必要となる。例えば「居室から食堂までの50mを一人で四点杖《よんてんづえ》を使って歩くことができる」「1日に1,400mLの水分を摂《と》ることができる」というように、**目標達成の基準を数値化**したり、**観察可能な目標**を設定したりする。
表現方法	・目標を達成するのは利用者自身となるため、**利用者**を主語とする。 ・否定的な言葉は避け、利用者が主体的に取り組む表現方法を用いる。 ・目標達成の程度を明確にして、具体的に記述する。

領域Ⅲ こころとからだのしくみ

めざせ！　正解率60%!!!
ひたすら覚えよう！

領域Ⅲ「こころとからだのしくみ」は、「こころとからだのしくみ」「発達と老化の理解」「認知症の理解」「障害の理解」の４科目で構成されています。この領域では、人体の構造・機能、病気・障害の種類とその特徴を中心に学習していきます。ここでは、人体の部位や病気の名前など、普段聞いたことがあるものも含まれていますが、それらの機能や症状などの特徴を詳しく理解する必要があるため、ひたすら覚えるしかありません。
この領域では、いかに数多くの内容を覚えることができたかどうかによって、試験の得点が左右されるので、まずは６割の得点が獲得できるように学習していきましょう。

こころとからだのしくみ

【学習のテクニック】
この科目では、欲求、記憶、脳、骨などの種類とその機能を中心に学習することから、専門用語がかなり多く含まれている。そのため、いかに数多くの専門用語とその機能をセットにして覚えることができるかが、攻略のカギとなる。

■こころのしくみ

ココが重要！
◎マズローの欲求階層は、５段階のピラミッド型に階層序列化している。
◎加齢に伴って、短期記憶は低下する傾向にあるが、長期記憶は比較的維持される。

●マズローの欲求階層説

<table>
<tr><td>自己実現の欲求</td><td>自らをなすことへの欲求</td><td>成長欲求</td><td rowspan="3">社会的欲求</td></tr>
<tr><td>承認の欲求</td><td>人から認められたいという欲求</td><td rowspan="4">欠乏欲求</td></tr>
<tr><td>所属・愛情の欲求</td><td>他者からよく思われたい、会社などの集団に帰属したいなどを含んだ欲求</td></tr>
<tr><td>安全の欲求</td><td>健康の維持や危険回避などのように、生命を維持するための欲求</td><td rowspan="2">基本的欲求</td></tr>
<tr><td>生理的欲求</td><td>食欲や睡眠欲などのように生きるうえでの根源的欲求</td></tr>
</table>

●記憶の流れと代表的な記憶の種類

<table>
<tr><td colspan="2">記憶の流れ</td><td colspan="2">感覚記憶→短期記憶→長期記憶</td></tr>
<tr><td colspan="2">作業記憶
（ワーキングメモリ）</td><td>短い時間、あることを記憶にとどめておき、それと同時に認知的作業を頭の中で行う記憶</td><td rowspan="2">加齢の影響を受けやすい（加齢で低下しやすい）</td></tr>
<tr><td rowspan="4">長期記憶</td><td>エピソード記憶</td><td>ある特定の時間と場所での個人にまつわる出来事等、過去の時間と経験が連結された記憶</td></tr>
<tr><td>意味記憶</td><td>家族の名前や誕生日、県名等、個人的な事実や一般的な知識についての記憶</td><td rowspan="3">加齢の影響を受けにくい（加齢で低下しにくい）</td></tr>
<tr><td>手続き記憶</td><td>自転車の乗り方等、身体で覚えた記憶</td></tr>
<tr><td>プライミング記憶</td><td>前に入力された情報が、その後の情報に影響を与える記憶</td></tr>
</table>

■からだのしくみ

ココが重要！

◎海馬が短期記憶の保存に関与しているのに対し、大脳皮質は長期記憶の保存に関与している。

◎立位姿勢を維持するための抗重力筋《こうじゅうりょくきん》には大腿四頭筋《だいたいしとうきん》、腸腰筋《ちょうようきん》、腹直筋《ふくちょくきん》、ハムストリングス（大腿二頭筋《だいたいにとうきん》、半膜様筋《はんまくようきん》、半腱様筋《はんけんようきん》）等がある。

◎骨格筋は自分の意思で動かすことができる随意筋《ずいいきん》の 1 つで、横紋筋《おうもんきん》に含まれる。一方、自らの意思で動かすことができない筋肉を不随意筋《ふずいいきん》と呼び、内臓や血管の壁にある平滑筋《へいかつきん》が該当する。

●脳の構造

大脳	**前頭葉**	意欲、**人格**、実行機能
大脳	**頭頂葉**	**視空間認識**
大脳	後頭葉	視覚形成、色識別
大脳	**側頭葉**	聴覚、言語 ※深部にある**海馬**は記憶をつかさどっている。
脳幹	中脳	心臓中枢や呼吸中枢など
脳幹	橋《きょう》	心臓中枢や呼吸中枢など
脳幹	延髄《えんずい》	心臓中枢や呼吸中枢など
小脳		運動の調節、**平衡《へいこう》感覚**

●泌尿器の名称

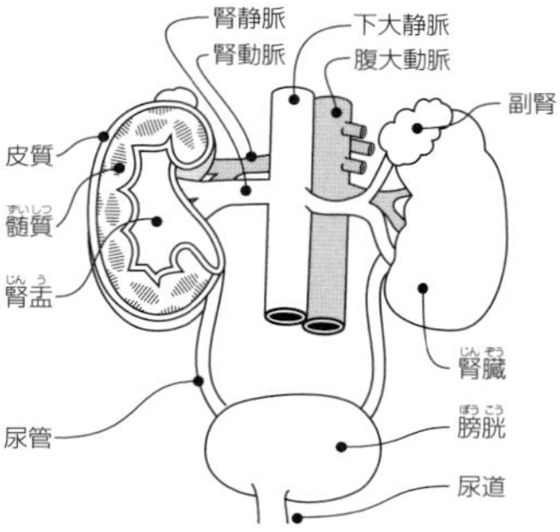

●骨の名称

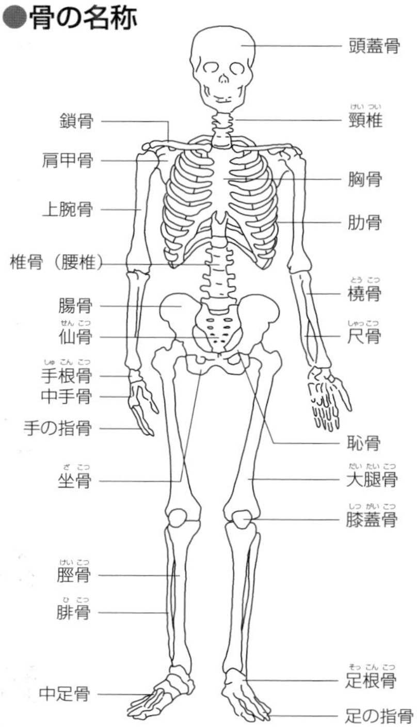

●目の構造と機能

虹彩《こうさい》	**瞳孔**の大きさを調節することで、**網膜《もうまく》**に入る光量を調節する役割がある。
網膜	眼球の後ろ側の内壁を覆う薄い膜状の組織であり、視覚的な映像を神経信号に変換し、**視神経**を通して脳中枢へと信号を伝達する役割がある。
水晶体	角膜と同様に光を屈折させ、目のピントを調節する。

■日常生活におけるこころとからだのしくみ

ココが重要！

◎高齢者はノンレム睡眠の時間が減り、レム睡眠の時間が増え、全体的に浅い眠りとなる。

◎概日リズム（サーカディアンリズム）の回復には①朝、日光を浴びる、②朝食でトリプトファンを摂取する、③就寝の約 1 ～ 2 時間前にぬるめの湯に浸《つ》かる、④就寝前にパソコンやスマートフォン等の使用を控える、⑤「寝だめ」をしないこと等が重要となる。

● 無機質の種類・働きと欠乏症

種類	主な働き	欠乏症
カルシウム	**骨・歯**の成分、血液凝固、筋肉を収縮	**骨粗鬆症《こつそしょう》**
リン	骨・歯の成分	脱力感、筋力低下
マグネシウム	骨・歯の成分、筋肉を収縮、エネルギー代謝に必要	虚血性心疾患
鉄	たんぱく質と結合して**ヘモグロビン**をつくる。	**鉄欠乏性貧血**
ナトリウム	体内の**水分バランス**や**浸透圧**の調整	嘔気、疲労感、筋けいれん
カリウム	体内の浸透圧の調整、体内に残った余分な**ナトリウム**の排出	脱力感、**高血圧**、**不整脈**
亜鉛	たんぱく質や遺伝子の合成	**味覚障害**

●摂食・嚥下《えんげ》のプロセス

①先行期（認知期）
食物の色、形、大きさ、におい等を**認識**する。

▼

②準備期（咀嚼《そしゃく》期）
食物を口に入れ、**咀嚼**し、**食塊形成**する。

▼

③口腔《こうくう》期
舌を使って、食塊を**口腔**から咽頭《いんとう》に送る。

▼

④咽頭期
嚥下反射によって、食塊を**咽頭**から食道に送る。

▼

⑤食道期
食塊を**食道**から**胃**に送る。

●入浴の作用

	効果	危険性とその対策例
温熱作用	・新陳代謝や**血行**が促進される。 ・リラックスできる。	・**体力**が消耗する→**長湯**は避ける。 ・**発汗**で体内の水分量が低下する→**水分補給**が必要である。
浮力作用	・体重が9分の1程度となり、筋肉や**関節**への負担が軽減する。 ・身体を動かしやすい。	・入浴中、身体が不安定になりやすい→**手すり**等の活用や見守りが必要となる。
静水圧作用	・水圧により、全身の血行改善や**浮腫**《ふしゅ》（むくみ）の軽減につながる。	・**心疾患**や**呼吸器疾患**のある利用者には負担がかかる→**半身浴**が望ましい。

●排泄《はいせつ》のしくみ

	尿	便
回数	5回～8回／日	1回～3回／日
量	1,000mL ～ 2,000mL／日	100g ～ 250g／回
異常	・無尿・乏尿・多尿・尿失禁 ・頻尿・排尿困難	・便失禁・便秘・下痢

●睡眠の種類

ノンレム睡眠	**深い**眠りであり、**大脳**を休ませて回復させる睡眠
レム睡眠	**浅い**眠りであり、脳が**覚醒**《かくせい》している状態に近い睡眠。身体は休息中

●代表的な睡眠障害

入眠障害	**寝つき**が悪く、なかなか眠れない。
中途覚醒《かくせい》	眠りが**浅く**、夜中に数回にわたって**目覚め**、再度眠ることが困難になる。
早朝覚醒	老化やストレスなどが原因となり、**明け方**に目覚め、再度眠ることが困難になる。
熟眠障害	睡眠をとったにもかかわらず、ぐっすり眠れたという満足感がない。
睡眠時無呼吸症候群（SAS）	睡眠中に何度も呼吸が止まる状態（**無呼吸**）が繰り返され、**いびき**や不眠、日中の**眠気**、**集中力**の低下等が生じる。
レストレスレッグス症候群	寝ようとすると、**足**がむずむずしてきて、じっとしていられなくなり、不眠につながる。

●終末期の呼吸変化

チェーンストークス呼吸	30秒弱程度**呼吸**が止まった後、**浅め**の呼吸から**深く大きな**呼吸となるという一連の周期を繰り返す呼吸
肩呼吸	息をするたびに**肩**も動く呼吸
下顎《かがく》呼吸	**下顎**をガクガクと動かす呼吸であり、**死**の間近に多くみられる。
鼻翼《びよく》呼吸	少しでも空気を吸おうと**小鼻**が開く呼吸

●死のとらえ方と死後の身体変化

死の三徴候	①**瞳孔散大**　②**心臓停止** ③**自発呼吸停止**
死亡診断	死亡診断および死亡診断書の交付は、**医師**または**歯科医師**のみに許可
死斑《しはん》	死後**20～30**分で出現し、**8～12**時間で最も強くなる。
死後硬直	死後**2～4**時間で出現し、**12**時間で全身に及ぶ。

発達と老化の理解

【学習のテクニック】

加齢に伴う心身の変化のように易しい内容については、過去問題や予想模試を繰り返し解いて理解を深め、発達理論や病気のようにやや難解な内容については、参考書と問題集を併用して学習する。

■発達理論

ココが重要!

◎社会的参照は、1歳頃からみられ、視覚的な戸惑いや経験のない状況等があった際に、信頼できる人の態度や表情、反応をみて、行動を決定していくことである。

◎エリクソンの発達段階説によれば、老年期は自我の統合が発達課題となる。

●エリクソンの８つの発達段階

発達段階	年齢	発達課題	達成した場合	失敗した場合
乳児期	０～１歳	**養育者**との関係を通した信頼感	**基本的信頼感**	不信
幼児前期	１～３歳	自分の**身体**を自分でコントロールする自律感	**自律性**	恥・疑惑
幼児後期	３～６歳	自主的に行動する快感を覚える自発性	**自発性**	罪悪感
学童期	６～12歳	様々な活動を通した勤勉性	勤勉性	劣等感
青年期	12～20歳	**同一性（アイデンティティ）**の確立	**同一性（自我同一性）**	同一性拡散
成年期初期	20～30歳	親密な人間関係の構築	親密性・愛	孤立
成人期（壮年期）	30～65歳	子育てや仕事等、社会的な役割を通した次世代の育成	生殖性・世代性	停滞
老年期	65歳～	人生という意味をまとめる統合性	**自我の統合**	絶望

●代表的な発達理論

提唱者	理論	概要
ピアジェ	思考発達段階説	論理的思考の発達に焦点を当てた理論である。具体的には①感覚（五感）の働きを通して認識する**感覚運動期**（０～２歳頃）、②判断が見かけによって左右される**前操作期**（２～７歳頃）、③見かけに左右されずに判断できる**具体的操作期**（７～11歳頃）、④抽象的な思考ができる**形式的操作期**（11歳頃～）に区分される。
フロイト	発達段階説	**リビドー**概念による精神･性的発達理論であり、自我の発達を①**口唇期**、②**肛門《こうもん》期**、③**男根期**、④**潜在期**、⑤**思春期・性器期**の５段階に区分した。

■高齢者の人格特性と考え方

ココが重要！

◎ライチャードは、定年退職後の男性高齢者の人格特性を５つに区分した。
◎ニューガーテンらは、高齢者の人格特性について、大きく①統合型、②防衛型、③依存型、④不統合型の４類型とし、さらに細かく８つの適応パターンに区分した。
◎ロバート・バトラーが提唱したプロダクティブ・エイジングとは、高齢者が長年の経験を活かして労働や学習、セルフケア等を通して生産的・創造的な活動を行い、社会に貢献することを指す。
◎サクセスフル・エイジングとは、幸福な老いを意味し、老いを受け入れながら社会生活に適応し、豊かな老後を迎えている状態を指す。エイジズムとは、高齢者に対する年齢による偏見と差別を指す。

●ライチャードによる老年期の性格類型

円熟型	老化をありのままに**受け入れ**、**社会参加**を行い、毎日を建設的に暮らすように努めている。	適応型
依存型（安楽いす型）	老化や自分の現状を受け入れているものの、**他人に依存**しており、**受け身的**である。	
防衛型（装甲《そうこう》型）	老化に対する自らの不安を打ち消すために、**仕事等の活動に没頭**する。	
憤慨《ふんがい》型	老化や自分の過去を**受け入れず**、その失望を**他人のせい**にして非難する。	不適応型
自責型	過去の失敗や失望を振り返り、その**原因が自分にある**と考え、**自分自身を責める**。	

■加齢に伴う心身の変化

ココが重要！

◎高齢者は、加齢に伴い、親しい人との死別や社会的役割の喪失などによって心理的な影響を受ける。
◎フレイルとは、健康な状態と要介護状態の中間に位置し、加齢とともに心身の活力（運動機能や認知機能等）が低下し、心身の脆弱《ぜいじゃく》性が出現した状態を指す。

●加齢に伴う身体的な変化

代謝機能の低下	服用した薬の薬効が出やすく、副作用も現れやすい。
味覚の低下	塩分や糖分の多い、味の濃い食事を好む。
唾液《だえき》分泌量の減少	口腔《こうくう》内の細菌が繁殖しやすい。

●加齢に伴う心理的影響

喪失体験	配偶者や友人の死、社会的な役割を失うこと等によって、意欲低下や**悲嘆**反応が生じる。
老年期うつ病	不安や焦燥感などに加え、頭痛や腰痛、便秘などの**身体症状**も発生しやすい。

●廃用症候群（生活不活発病）の主な種類

筋力・体力・持久力の低下	身体を動かさないことで**筋肉**が細くなり、**筋力**が低下する。1 週間の安静臥床《がしょう》で 10 ～ 15%の筋力低下が生じる。その結果、体力・持久力が低下し、疲れやすくなる。
骨萎縮《いしゅく》、骨粗鬆症《こつそしょう》	**骨密度**の低下、骨がもろくなり**骨折**しやすくなる。
関節拘縮	**関節可動域**が狭くなり、膝や肘《ひじ》等の曲がりや伸びが悪くなる。
呼吸機能低下	肺炎、呼吸運動の低下で、痰《たん》を出す力が弱まる。
消化機能低下	**便秘**、食欲不振、身体を動かさないことで、胃腸の動きが鈍くなる。
循環血液量の減少、静脈血栓《けっせん》症	血液がどろどろになる。下肢の静脈に**血栓**ができる。
起立性低血圧	起立など急な体位の変換などで、**血圧**が下がり、**立ちくらみ**がする。
脱水	ホルモンの関係で尿が多く排泄《はいせつ》され、体内の**水分量**が減る。
尿路感染、尿路結石《けっせき》	膀胱《ぼうこう》や尿道に細菌が増殖し、**尿路感染**しやすい。尿路、膀胱に石ができやすい。
抑うつ、認知症の増悪	外部からの刺激や周囲との交流が減少し、**意欲が低下**し、無気力になったり、**認知症**の症状が悪化したりする。

■高齢者に多い循環器系疾患

ココが重要！

◎ニトログリセリンの投与は、狭心症の発作には効果的であるが、心筋梗塞には効果はない。

◎脳血管疾患（脳卒中・脳血管障害）の症状の現れ方には違いがある。例えば、くも膜下出血の場合は、ハンマーで殴られたような激しい痛みに突然襲われるのに対し、脳梗塞は徐々に進行する。また、一過性脳虚血発作の場合は、一般的に 1 時間以内に症状が治まる。

◎高血圧症とは、診察室での測定で、最高血圧（収縮期血圧）140mmHg 以上、最低血圧（拡張期血圧）90mmHg 以上の状態をいう。

●狭心症と心筋梗塞

	狭心症	心筋梗塞
病態	冠動脈の狭窄《きょうさく》で**血流が低下**	冠動脈の閉塞で**血流が停止**
主な症状	**胸痛** ※労作時狭心症の場合、**安静**にすると改善がみられる。	**激しい胸痛**、呼吸困難、意識障害 ※安静にしていても、**改善がみられない**。
服薬	ニトログリセリンの**効果あり**	ニトログリセリンの**効果なし**

●脳血管疾患（脳卒中・脳血管障害）の主な種類

原因	血管が破れて出血		血管が詰まる脳梗塞		
種類	脳出血	くも膜下出血	ラクナ梗塞	アテローム 血栓性脳梗塞	心原性脳梗塞
病態	細い動脈の**破裂**	**動脈瘤**の破裂	**細い**動脈が詰まる	**太い**動脈が詰まる	脳動脈が血栓で**詰まる**
症状の現れ方	軽症～重症まであり、症状は比較的急速に進行	ハンマーで殴られたような**突然の激しい痛み**が出現	症状が現れない場合もある（無症候性脳梗塞）	症状は**徐々に進行**	急激に症状が現れ、**重篤**になりやすい

●脳血管障害による主な症状

運動麻痺《まひ》	脳の障害部位と反対側に**片麻痺《かたまひ》**が生じる。 右片麻痺《みぎかたまひ》の場合は**失語症**、左片麻痺《ひだりかたまひ》の場合は**失認、失行、半側空間無視**が生じやすい。 顔面麻痺、**嚥下《えんげ》障害**等が生じる場合もある。
知覚障害	麻痺側《まひそく》の触覚や痛覚等がわからなくなる**感覚障害**が生じる。

●高血圧症と動脈硬化

高血圧症	①**塩分過多、肥満、喫煙、ストレス**などが要因 ②動脈硬化と関連し、心臓病（心筋梗塞、心不全）や腎臓《じんぞう》病、**脳血管障害**等を引き起こす。 ③高齢者では**最高血圧（収縮期血圧）**が高いことが多い。
動脈硬化	①動脈の壁が厚くなったり、硬くなったりして弾力性や柔軟性を失った状態 ②**生活習慣、高血圧、脂質異常症、糖尿病、肥満**などが要因 ③心臓や脳血管の障害に関係

■生活習慣病

ココが重要！

◎糖尿病の三大合併症には、①失明のおそれがある糖尿病性網膜《もうまく》症、②進行すると腎不全《じんふぜん》となり、透析療法が必要となる糖尿病性腎症、③知覚が低下し、足潰瘍《かいよう》や足壊疽《えそ》が生じる危険性がある糖尿病性神経障害がある。

◎骨粗鬆《こつそしょう》症の予防には、カルシウム、ビタミン D、ビタミン K の摂取が重要である。

糖尿病	**インスリン**の減少や作用不足のため、**高血糖**状態が持続して起きる疾患	
	1 型糖尿病	インスリンを分泌する膵臓《すいぞう》内の細胞が機能を失い、インスリンの分泌量が絶対的に不足することから生じる。**若年者**に多い。
	2 型糖尿病	**不適切な生活習慣**が原因でインスリンの分泌量が不足したり、作用が低下したりすることで生じる。日本人の約 95％は **2 型糖尿病**である。
	三大合併症	糖尿病性**網膜《もうまく》症**、糖尿病性**腎《じん》症**、糖尿病性**神経障害**
骨粗鬆《こつそしょう》症	男性よりも女性に多く、骨の痛みや変形、骨折などの症状がみられる。骨粗鬆症の予防法には、①**カルシウム、ビタミンD、ビタミンK**などの摂取、②適切な運動、③日光浴がある。	

■感染症と感染予防

ココが重要！

◎感染とは様々な種類のウイルスや細菌等の病原微生物が体内に入り、増殖した状態を意味し、それが原因で起こる病気のことを感染症という。

◎感染経路は咳《せき》やくしゃみ等による飛沫《ひまつ》感染、手指で口を触ること等による接触感染、空気中に漂うウイルス等から感染する空気感染、汚染された血液や体液から感染する血液媒介《ばいかい》感染等がある。

◎感染予防の 3 原則は、①感染源の除去、②感染経路の遮断、③人間の抵抗力の向上である。

◎スタンダードプリコーション（標準予防策）とは、誰もが感染源になり得ると考え、すべての利用者に対して行われる感染予防策を指す。

◎感染予防のため、手洗い、手袋・マスクの着用等を徹底する。

◎例えば、介護福祉職自身が感染源とならないためにも、1 人の利用者を支援したら、その都度、手洗い・手指消毒を行うようにする（1 ケア→ 1 手洗い）。

●主な感染症の種類

新型コロナウイルス感染症(COVID-19)	2019（令和元）年 12 月、中国湖北省武漢市で発生が確認され、以後、数か月で世界的な大流行（パンデミック）を引き起こした。日本政府は、国民に対し、マスクの着用や手洗い等の**手指衛生**に加え、3 密（①換気の悪い密閉、②多数が集まる密集、③間近で接する密接）回避を求めた。2023（令和 5）年 5 月から、感染症法上の扱いが 2 類相当から季節性インフルエンザ等と同じ **5 類**に移行された。
肺炎	肺に実質的な炎症を生じる呼吸器感染症であり、ウイルス感染や細菌感染による感染性肺炎、**誤《ご》嚥《えん》性肺炎**などの種類がある。
インフルエンザ	**インフルエンザウイルス**による急性感染症の一種であり、**飛沫核感染**を感染経路としている。高熱、筋肉痛などの症状がみられる。
尿路感染症	免疫力が低下した高齢者は**腎盂腎炎《じんうじんえん》**や**膀胱炎《ぼうこうえん》**などの尿路感染症を起こしやすい。特に女性は尿道が**短い**ため、尿路感染症になりやすい。男性に多い尿路感染症は**前立腺炎《ぜんりつせんえん》**である。

●食中毒とその原因

細菌性食中毒、ウイルス性食中毒、化学性食中毒、自然毒食中毒などに分類され、下痢、嘔吐《おうと》、発熱などの症状がみられる。

原因菌等	原因食品等
腸管出血性大腸菌 O157	肉や魚、野菜などに含まれた菌から感染し、**ベロ毒素**を出し、出血性の下痢を起こす。予防するには、**75**℃以上で **1** 分以上加熱する必要がある。
ウエルシュ菌	カレーやシチュー等の**煮込み料理**を常温保存することで菌が大量に増殖し、食中毒を起こすおそれが高まる。加熱しても死滅しない。予防方法として、保存する際は**冷やして保存**する必要がある。
ノロウイルス	主に**冬期**、カキ等の二枚貝を生で食べることで発生する。下痢・嘔吐《おうと》が起こり、排泄《はいせつ》物から二次感染するおそれもある。予防するには、**85 ～ 90**℃以上で **90** 秒以上加熱する。
サルモネラ菌	加熱不十分な**鶏肉**、生卵、自家製マヨネーズなどから起こる場合が多い。予防方法として、**75**℃以上で **1** 分以上加熱する。
腸炎ビブリオ菌	初夏から秋にかけて、刺身などの**生魚介類**で特に多く発生する。予防方法として、**真水でよく洗い流す**ことが基本となる。
カンピロバクター	**鶏肉**などに多く付着。**汚染された飲料水**で起こる場合がある。
黄色ブドウ球菌	調理をする人の**化膿した傷口**などから起こる場合が多く、原因食品として、おにぎりや生菓子が挙げられる。
ソラニン	植物性の自然毒で**ジャガイモの芽**に含まれている。

●介護保険施設における感染対策

- **介護保険施設**（**介護老人福祉施設**、**介護老人保健施設**等）には**抵抗力が弱い高齢者**等が集団で生活しているため、**感染が拡大しやすい**状況にある。よって、施設では**集団感染**を防ぐことが重要である。
- **新型コロナウイルス感染症**（**COVID-19**）、**インフルエンザ**、**感染性胃腸炎**（**ノロウイルス感染症**、**腸管出血性大腸菌感染症**等）、**疥癬《かいせん》**、**結核**等の集団感染は利用者だけでなく介護福祉職他職員等にも起こる。
- 施設内感染の発生や発生時の感染拡大を防ぐため、**感染対策委員会**を設置し、**定期的な開催**に加え、感染が発生しやすい時期や感染の疑いが生じた場合は、必要に応じて**随時開催**する。

●感染予防の主な方法

方　法	内　容
手洗い・手指消毒	基本は**流水**による**手洗い**となる。具体的には①**流水**で手を洗う→②**液体石鹸《せっけん》**を使い、手掌《しゅしょう》や手背《しゅはい》、指先、指の間、親指、手首等を丁寧に洗う→③流水で**しっかりと洗い流す**→④タオルは**他の人と共有せず（使い回さず）**、**ペーパータオル**等でしっかりと拭き、**水気を取り除く（手を乾かす）**→⑤速乾式**手指消毒液**を手につけ、指先や指の間等も含めて丹念に擦《こす》る。
うがいの方法	まずブクブクうがい（**洗口**）を行い、次にガラガラうがい（**含嗽《がんそう》**）を行う。
手袋の装着	嘔吐《おうと》物や排泄《はいせつ》物、体液・分泌物、血液等に触れる際は、**スタンダードプリコーション**に基づき、感染性の疾患の有無にかかわらず、必ず**使い捨て手袋**を装着し、素手で触れないようにする。
嘔吐物が付着したシーツ等の消毒方法	**ノロウイルス**は熱に弱い一方、水やぬるま湯では消毒の効果が発揮されない。よって、感染症予防のため、嘔吐物が付着したシーツ等は、ノロウイルスが飛び散らないように嘔吐物を拭き取り、**次亜塩素酸ナトリウム**が含まれた希釈液に浸した後、**85**℃以上で **1** 分間以上の**熱水洗濯**を行う。
液体消毒	薬液による消毒のことで、アルコールが用いられる。ただし、ノロウイルスに対しては**アルコール**による消毒が十分に**効果を発揮しない**ため、**次亜塩素酸ナトリウム**を用いる必要がある。

目標は60%!

認知症の理解

【学習のテクニック】

この科目では、認知症の定義や症状などの基礎を理解したうえで、アルツハイマー型認知症、血管性認知症、レビー小体型認知症、前頭側頭型認知症を中心に学習することが得点力アップにつながる。

■認知症の概要

ココが重要!

◎認知症の中核症状は、認知症であれば誰でも生じる症状であるのに対し、BPSD（行動・心理症状）は中核症状によって二次的に引き起こされる症状を指す。
◎中核症状の１つである見当識障害では、時間、場所、人物がわからなくなる。
◎BPSD（行動・心理症状）の１つである妄想とは、事実ではないことを本気で信じている状態を指す。例えば、誰かが自分の物を盗んだと思い込んでしまう物盗《と》られ妄想等がある。

●認知症とせん妄とうつ病の違い

	認知症	せん妄	うつ病
初発症状	**記憶障害**	**意識障害**	**抑うつ症状**
発症・経過	**徐々に**進行	**突然**発症するが、**一時的**	突然の発症が多く、経過は様々
日内変動	少ない	**夜間**に多い（**夜間せん妄**）	朝方の不調が目立つ

●認知症の症状

中核症状		**記憶障害、見当識障害、実行（遂行《すいこう》）機能障害**、判断力の障害、**失認・失行**・失語　など
BPSD（行動・心理症状）	行動症状	徘徊《はいかい》、帰宅願望、異食、攻撃的言動（暴言、介護拒否等）、**収集癖《へき》**　など
	心理症状	**妄想**、**幻覚**、抑うつ、不安、睡眠障害、**感情（情動）失禁**、**アパシー**（感情の起伏がなく無気力）　など

■認知症原因疾患の種類とその特徴

ココが重要!

◎アルツハイマー型認知症は、認知症の原因疾患として最も大きな割合を占めている。
◎血管性認知症は、脳血管障害が原因で生じ、初期にめまいを自覚することがあるほか、片麻痺《かたまひ》、歩行障害、言語障害、嚥下《えんげ》障害、パーキンソニズム等を併発しやすい。
◎レビー小体型認知症の特徴として、鮮明で具体的な内容の幻視、パーキンソン症状等が挙げられる。
◎前頭側頭型認知症は、初老期（40～64歳）に多く発症し、同じことを繰り返す常同行動や反社会的な行動をとる脱抑制、意欲の低下等がみられる。

●アルツハイマー型認知症と血管性認知症の違い

	アルツハイマー型認知症	血管性認知症
症状	・認知機能低下や人格変化があり、行動・心理症状として、不眠、易怒性《いどせい》、**幻覚**、**妄想**などを生じる。 ・初期症状としては、記銘力の低下を伴う記憶障害、**不安**、**抑うつ**などを生じる。 ・短期記憶の低下が顕著であるが、長期記憶や手続き記憶は比較的よく保たれる傾向にある。	・記憶障害を伴うことが多く、**片麻痺《かたまひ》**、尿失禁、**情動失禁**なども生じる。 ・症状の進行は、病状増悪期を繰り返し、**段階的**に重度になる特徴がある。 ・片麻痺や**仮性球麻痺**による**嚥下《えんげ》障害**を合併することが少なくない。
ポイント	・脳に神経原線維《げんせんい》変化や老人斑《はん》がみられる。 ・**女性**に多くみられる。 ・症状の発症・進行が**緩徐**である。 ・最終的に寝たきり状態になる。	・**脳血管障害**を原因としている。 ・**男性**に多くみられる。 ・「まだら認知症」とも呼ばれる。 ・危険因子には高血圧、糖尿病、肥満等がある。

●その他の代表的な認知症原因疾患

レビー小体型認知症	大脳皮質の神経細胞内にレビー小体という異常物質が出現して発症する認知症である。見当識障害、記憶障害、筋肉収縮、嚥下《えんげ》困難、幻視・幻聴、無反応、せん妄、**パーキンソン症状**などが生じる。症状の程度には、**日内変動**がみられる。**幻視**は、鮮明で具体的な内容であることが多い傾向にある。
前頭側頭型認知症	**初老期認知症**の代表的疾患の１つであり、特有な**人格変化**、言語の減少、自発性低下などがみられる原因不明の大脳萎縮性疾患である。その他の症状として、自制力低下、感情鈍《どん》麻《ま》、**常同行動**、**反社会的な行動**などが生じるものの、見当識障害はみられにくい。
クロイツフェルト・ヤコブ病	異常化した**プリオン蛋白《たんぱく》**が脳に蓄積することで、脳神経細胞の機能障害が起こり、脳に海綿状の変化が出現する疾患。行動異常、性格変化、視覚異常、認知症の症状などがみられる。認知症の症状の**進行が早い**特徴がある。
慢性硬膜《こうまく》下《か》血腫《けっしゅ》	**頭部**を打った後、数週間から数か月後に発症する場合がある。認知症の症状がみられるが、治療や手術によって**改善**がのぞめる疾患である。**抗凝固薬**の使用は血液をサラサラにするため、慢性硬膜下血腫の発症や悪化の原因につながる危険性がある。
正常圧水頭症	**髄液《ずいえき》**が脳室にたまり、脳を圧迫することで起きる。そのため、外科的治療の１つである**シャント手術**を行い、髄液の流れを整えて脳の圧迫を取り除くことで認知症の症状が**改善**することが多い。認知症の症状に加え、歩行障害や尿失禁も生じやすい。
甲状腺《こうじょうせん》機能低下症	慢性的な甲状腺の炎症で**甲状腺ホルモン**の分泌量が減り、全身の活動性が低下する。その他、物忘れが顕著になる等、認知症の症状が出現するものの、甲状腺ホルモンを補充する内服薬による治療で**改善**が見込まれる。
アルコール依存症（ウェルニッケ脳症）	脳が萎縮《いしゅく》するほか、慢性的な**ビタミンB_1**の不足によって疲れやすさとともに認知症の症状が出現する場合がある。こうしたビタミンB_1の不足で起こる認知症のことを**ウェルニッケ脳症**と呼ぶ。なお、ビタミンB_1は豚肉、大豆、ウナギ等に含まれている。

■認知症の評価スケールとケア

ココが重要！

◎認知症の評価・検査スケールには、質問形式で行う改訂長谷川式簡易知能評価スケールや MMSE、観察形式で行う FAST（アルツハイマー病の機能評価）や CDR 等がある。
◎認知症ケアの基本は、トム・キットウッドが提唱したパーソン・センタード・ケアに基づく支援である。

●認知症の検査・評価スケール

質問式	改訂長谷川式簡易知能評価スケール（HDS-R）	年齢、**日時**、場所、**計算**、**記憶**に関する **9** 項目の質問を行う。30 点満点中 **20** 点以下で認知症の可能性が高い。
質問式	MMSE（ミニメンタルステート検査）	11 項目の質問から認知機能を評価する。見当識や単語の記銘、計算に加え、**図形描画**の課題もある。
観察式	FAST（アルツハイマー病の機能評価ステージ）	**アルツハイマー型認知症**の重症度について、**生活機能面**から観察を行い、**7** 段階で評価する。
観察式	CDR（臨床的認知症尺度）	記憶や見当識、**社会適応**等の 6 項目について **5** 段階評価を行い、認知症の程度を把握する。
観察式	認知症高齢者の日常生活自立度判定基準	**厚生労働省**が作成。認知機能の状態に応じて**ランクⅠ、Ⅱ（a、b）、Ⅲ（a、b）、Ⅳ、M** に分類する。

●認知症ケア

基本	**パーソン・センタード・ケア**の考え方に基づき、認知症がある人を一人の「**人**」として尊重し、その人の視点に立って理解し、ケアを行おうとする姿勢が支援者には求められる。
方法	薬物療法のほか、**回想法**、**リアリティ・オリエンテーション**、**バリデーション**、**ユマニチュード**、園芸療法、音楽療法等を活用。

目標は60%!

障害の理解

【学習のテクニック】

この科目では、障害を種類別にした一覧表を作成し、定義、特徴、支援方法などを書き込みながら学習することが効率的である。学習範囲が広いため、過去問題や予想模試を繰り返し解きながら理解を深め、学習時間の効率化を図る。

■高次脳機能障害・身体障害

ココが重要!

◎社会的行動障害の特徴には、依存傾向、感情コントロールの低下、固執性などがみられる。
◎身体障害は、肢体不自由、視覚障害、聴覚障害、言語障害、内部障害に分類される。

●高次脳機能障害の主な症状

記憶障害		物の置き場所や約束を忘れることなどの特徴がある。
遂行《すいこう》機能障害		決まった方法にこだわり、状況に応じた判断ができないことや、自分で日常生活や仕事について**計画を立てても実行できない**ことなどの特徴がある。**実行機能障害**とも呼ばれる。
注意障害		**集中力がない**ことや、**同時に2つ以上のことをすると混乱**するなどの特徴がある。
社会的行動障害		ちょっとしたことで**すぐ興奮して怒鳴る**などの特徴がある。
半側空間無視		**患側の空間に注意を欠く**という特徴がある。転倒や激突等のリスクが高まる。食事の時、認識できない片側に食べ残しがみられる。
失行	着衣失行	身体機能に問題がないにもかかわらず、ズボンを頭に入れようとする等、衣服の上下・前後・着る方法がわからなくなり、**衣服を正しく着ることができなくなる**。
失行	観念失行	**道具等の物の名前はわかっているものの、それを使った一連の流れに基づく動作ができない**。例えば、手紙はわかっているものの、手紙を封筒に入れて封をするはずが、手紙を入れずに封をしてしまう。
失行	観念運動失行	自発的な動作や意識せずに行っている動作は行えるが、**他の人からの指示に従っての動作や他の人の動作をまねる模倣《もほう》ができない**。
失行	構成失行	**対象の位置関係や目でとらえた形から空間を認識できない**。例えば、図形を模写できなかったり、積み木で指定された形を作ることができなかったりする。
失行	顔面失行	舌や口、頬《ほお》等の顔の動作が反射的には行えるものの、**口や舌、頬等を意識して動かそうとした場合、動かすことができない**。

●視覚障害にあたる主な眼疾患

1	糖尿病性網膜《もうまく》症	**糖尿病**の三大合併症の1つであり、**失明**原因として大きな割合を占めている。
2	白内障	**水晶体**の混濁により視力障害が発生
3	緑内障	**眼圧の上昇**により、視野が欠損する。失明に至る場合も少なくない。
4	網膜色素変性症	夜盲と求心性の**視野狭窄《きょうさく》**の症状がみられる遺伝性の疾患である。

●主な内部障害の症状

心臓機能障害	胸痛、息苦しさ、顔面蒼白(**チアノーゼ**)、呼吸困難、動悸《どうき》、**浮腫《ふしゅ》**、体力低下
呼吸器機能障害	慢性的な呼吸困難、**息切れ**、咳《せき》、痰《たん》、チアノーゼ、**喘鳴《ぜんめい》**、浮腫
腎臓機能障害	**浮腫**、高血圧、体力低下、**尿毒症**
膀胱《ぼうこう》・直腸機能障害	**排尿困難**、尿閉、尿失禁
小腸機能障害	**下痢**、脱水、**栄養失調**
肝臓機能障害	初期には自覚症状がないことが多い。進行すると**全身倦怠《けんたい》感**、食欲不振、腹水、**黄疸《おうだん》**
HIV感染症による障害	発熱、寝汗、下痢、感染症(末期口腔《こうくう》カンジダ症、ニューモシスチス肺炎など)

●肢体不自由者への支援（障害・疾患別）

1	関節リウマチ	関節の**負担軽減**を図りながらの生活習慣の継続。**福祉用具・自助具**の導入
2	脊髄《せきずい》損傷	福祉用具を積極的に活用。生活管理・医療的管理、**ADL レベルに応じた援助**
3	脳卒中	**拘縮予防**、褥瘡《じょくそう》予防、**起立性低血圧予防**、**トランスファー（移乗）訓練**、生活環境の整備
4	パーキンソン病	**危険物の除去**、服薬管理と副作用の発見、リハビリテーションの継続

■知的障害と精神障害

ココが重要!

◎知的障害では、知的機能の障害が発達期（おおむね 18 歳まで）に現れ、てんかんの合併率が高い。
◎ダウン症候群では、知的発達の遅れ、染色体異常のほか、心疾患や難聴等の合併症が多くみられる。
◎精神障害は原因別に①原因不明の内因性（統合失調症、双極性障害等）、②精神的な原因による心因性（解離性障害、心身症、神経症等）、③脳の器質的な疾患や他の身体疾患、薬物等による外因性（認知症、アルコール依存症等）に分けられる。

●統合失調症と双極性障害（気分障害）とアルコール依存症

	症状	対応・注意事項
統合失調症	・**陽性**症状→**幻覚**（幻聴等）、**妄想**（被害妄想、誇大妄想等）等 ・**陰性**症状→**感情の平板化（感情鈍麻《どんま》）**、意欲の欠如、思考の貧困等	・**向（抗）精神薬**の服用、精神療法、**社会生活技能訓練**（SST）等、総合的な治療・サポートが必要 ・妄想の訴えに対し、介護福祉職は、**否定も肯定もせずに関わる。**
双極性障害（気分障害）	・**躁**状態→気分の高揚、多様な考えがとめどなく湧く観念奔逸等 ・**うつ**状態→抑うつ気分、憂鬱、自殺念慮等	・うつ状態の時は**自殺**の危険性があるため、**医師**による早期治療が必要 ・うつ状態にある場合、**むやみに励まさない。**
アルコール依存症	・アルコールへの過度の依存 ・離脱症状（禁断症状）→**振戦《しんせん》**、**せん妄**、**コルサコフ症候群**等	・徹底した**断酒**が必要 ・家族等が**共依存**にならないように支援 ・**セルフヘルプグループ**への参加が有効

■発達障害

ココが重要!

◎発達障害には自閉症スペクトラム障害（自閉症、アスペルガー症候群等）、注意欠陥多動性障害（ADHD）、学習障害（LD）等がある。

●主な発達障害の種類とその特徴

自閉症スペクトラム障害	・曖昧な表現や二重否定を含む表現を理解できない等、コミュニケーションに支障がある→**簡潔・具体的な説明、メモや図・絵等の活用** ・**対人関係や社会的な交流が苦手**なほか、常識や社会のルールを守るといった社会性に支障がみられる場合もある。 ・予定の変更に戸惑う等、**臨機応変な行動ができない。** ・活動・興味の範囲が非常に狭く、**特定の物事へのこだわりが強い**等、限定・反復した行動が目立つ。
注意欠陥多動性障害（ADHD）	・年齢・発達に不釣り合いな**注意力の欠如**、じっとしていられない**多動性**、思いついたことを即座に行ってしまう**衝動性**がみられる。
学習障害（LD）	・全般的な知的発達に遅れはないものの、聞く、話す、書く、読む、計算する等の能力のうち、**特定のものの習得と使用に支障**がある。

■難病

ココが重要!

◎パーキンソン病の四大症状とは①筋固縮、②無動・寡動《かどう》、③安静時振戦《しんせん》、④姿勢反射障害のことをいう。
◎筋萎縮《いしゅく》性側索《そくさく》硬化症（ALS）の場合、感覚や知能などは比較的に維持される。

●主な難病の種類とその特徴

ベーチェット病	**口腔《こうくう》粘膜のアフタ性潰瘍《かいよう》**、外陰部潰瘍、皮膚症状、**眼症状**などがみられる。
全身性エリテマトーデス(SLE)	主に発熱、全身倦怠《けんたい》感、**蝶形紅斑《ちょうけいこうはん》**などがみられる。重篤な場合には腎障害を生じる。
パーキンソン病	四大症状には①筋肉がこわばる**筋固縮**、②動作が緩慢になる**無動・寡動《かどう》**、③安静時にふるえやすくなる**振戦《しんせん》**、④バランスを保持できず、転びやすくなる**姿勢反射障害**がある。その他、**小刻み歩行**や**突進現象**、嚥下《えんげ》障害、便秘等の症状がみられる場合もある。
筋萎縮性側索硬化症(ALS)	**筋力低下**、構音障害、嚥下障害、呼吸障害などがみられる。感覚障害は**出現しにくい。**
シャイ・ドレーガー症候群	**自律神経症状**、**パーキンソン病様症状**、小脳性運動失調などがみられる。
ハンチントン病	**舞踏《ぶとう》運動**、精神症状、行動異常、認知障害などがみられる。

■障害受容の過程

ココが重要!

◎障害受容の過程は、つまずきや失敗をすることによって、前の段階に後退することもある。

◎上田敏《さとし》の障害受容のモデルは、①ショック期、②否定期、③混乱期、④解決への努力期、⑤受容期に区分される。

●上田敏による障害受容の過程

1	ショック期	**障害を得た直後**にショックを受ける時期
2	否定期	障害がないものと考えたいため、**障害を否定して回復を期待**する時期
3	混乱期	障害を得たという現実に直面し、**混乱と苦悩、抑うつと怒り**を体験する時期
4	解決への努力期	障害を得たという現実を受け止め始め、新たな現実に**適応する努力**を始める時期
5	受容期	障害を自分のものとして受け入れ、新たな役割を獲得して**現実に適応**する時期

■適応と適応機制

ココが重要!

◎適応とは、個人と環境との間に調和のある満足すべき関係が保たれている状態をいう。

◎適応機制とは、個人の欲求が環境との間に不調和を生じた際に、心理的な満足を得るために無意識的に解決する方法をいう。

●主な適応機制

合理化	自己の矛盾や不満などの欲求に対し、**適当な理由を付けて正当化**しようとすること
抑圧	苦痛な感情や記憶などの満たされない欲求を、意識にのぼらせないように**無意識に心の中に抱え込んでしまう**こと
同一視	自分にとって望ましい対象の属性を**自己と同じものとみなし**、一体感を得ること
投影	同一視とは反対で、多くは望ましくない**自己の欠点や感情・欲求などを他人の中に転嫁・帰属させ**、不安を解消しようとすること
昇華	満たされない非社会的な欲求を、**社会に受け入れられる高次的な価値ある行動へと転じる**ことで緊張を解消すること
反動形成	満たされない抑圧された欲求や願望に対し、それとは**正反対の行動・態度が表出**すること
補償	ある事柄に対し欠点や劣等感がある際、**他の事柄で優位に立って欠点や劣等感を補おう**とすること
退行	**以前の発達段階へと戻り**、早期の未熟な段階に適応することで、安易な解決を図る方法
逃避	不安や葛藤《かっとう》などの**緊張状態を避ける**ことで、解決を図ること
白昼夢	白昼夢のような空想によるイメージ内の活動で自己を満たし、**現実逃避**すること
攻撃	欲求不満などの原因に対し、直接的または間接的に**攻撃を加える**ことにより、緊張緩和を試みること

領域Ⅳ 医療的ケア

ポイントをしぼって失点を減らせ!! しっかり基本を理解しよう！

2011（平成 23）年、介護福祉士の業務に医療的ケアが追加され、介護福祉士養成教育のなかにも「医療的ケア」の科目が加わりました。
この科目では、特に喀痰《かくたん》吸引と経管栄養を実施する際の知識や留意点が重要となりますので、試験までにしっかりと理解しておきましょう。

目標は70%！

医療的ケア

【学習のテクニック】
喀痰《かくたん》吸引や経管栄養等の医療的ケアは医行為となる。そのこともあり、ここでは専門的な用語が多く登場する。したがって、わからない用語があれば、その都度調べて理解していく習慣を身につけることが大切である。また、「人間の尊厳と自立」「人間関係とコミュニケーション」「介護の基本」「こころとからだのしくみ」といった他の科目と関連する内容もあるため、それらを意識しながら学ぶとよい。

■喀痰《かくたん》吸引

ココが重要！
◎喀痰吸引は、吸引器につないだ吸引チューブを用いて、痰《たん》等を吸い取る医行為である。
◎喀痰吸引には、吸引チューブを口の中に挿入する口腔《こうくう》内吸引、鼻の穴から挿入する鼻腔《びくう》内吸引、気管カニューレ内部に挿入する気管カニューレ内部吸引がある。
◎介護福祉士が行う口腔内・鼻腔内の喀痰吸引については、咽頭《いんとう》手前までを限度とする。
◎吸引チューブの保管方法には、消毒液に浸《つ》ける浸漬《しんし》法と消毒液を使用せず乾燥させる乾燥法がある。

●喀痰《かくたん》吸引の種類

口腔《こうくう》内吸引	鼻腔《びくう》内吸引	気管カニューレ内部吸引
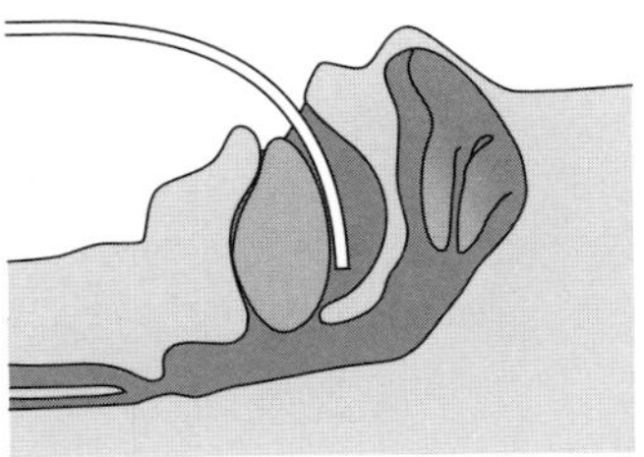	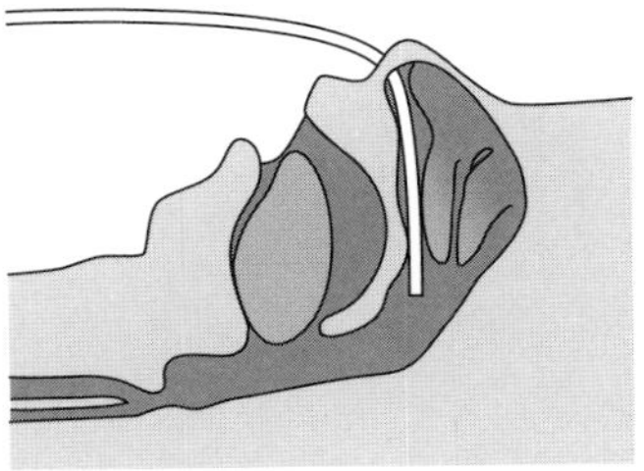	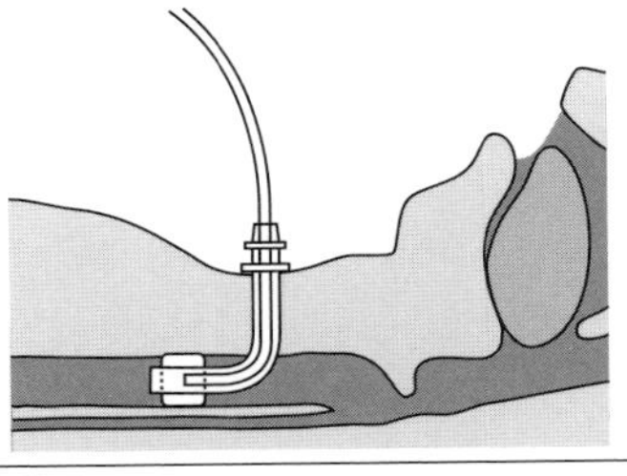

■人工呼吸器と吸引

ココが重要！
◎人工呼吸器とは、一定の圧力をかけて酸素を肺に送り込む医療機器である。
◎人工呼吸療法は、呼吸を維持・改善し、生命維持を図るために機械的に換気を補助またはコントロールすることである。
◎介護福祉士が行うことができる気管カニューレ内部吸引は、気管カニューレの内部に限られ、気管カニューレの先端を超えてはいけない。
◎吸引した直後は利用者の体内酸素量が少なくなっているため、速やかに人工呼吸器の回路と気管カニューレを接続し、人工呼吸器が正しく作動していることを確認する。

■経管栄養

ココが重要!

◎経管栄養は、口から食事ができなくなった時に、胃や十二指腸、空腸に経管栄養チューブを挿入・留置し、栄養剤を注入して必要な栄養を摂取する方法である。
◎経管栄養は、管を挿入する経路によって、胃ろう経管栄養、腸ろう経管栄養、経鼻《けいび》経管栄養に分けられる。
◎経管栄養剤は、食品タイプと医薬品タイプに分けられる。
◎経管栄養の実施で起こりうる身体への影響として、嘔気《おうき》・嘔吐《おうと》、胸やけ、腹痛などが挙げられる。
◎経管栄養の実施で嘔吐が起きた場合は、直ちに経管栄養剤の注入を中止し、医師や看護師に連絡する。
◎経管栄養を実施している場合も、感染予防のため、口腔《こうくう》ケアを行う。その際は、刺激による嘔吐を避けるため、栄養剤注入直後は避け、一定の時間が経過した後、あるいは空腹時に行う。

●経管栄養の種類

種　類	内　容
胃ろう経管栄養	・腹部から**胃**に小さな穴（ろう孔）を開け、胃ろうを造り、留置した経管栄養チューブを通して栄養剤を注入する方法
腸ろう経管栄養	・腹部から**腸**に小さな穴（ろう孔）を開け、腸ろうを造り、留置した経管栄養チューブを通して栄養剤を注入する方法
経鼻《けいび》経管栄養	・**鼻腔**《びくう》から食道を経て胃へ経管栄養チューブを挿入し、栄養剤を注入する方法 ・挿入時は苦痛を伴い、留置後も違和感が残る。

●経管栄養剤で起こりうる身体への影響の例

項　目	身体に起こりうる影響
経管栄養剤の注入速度	**速すぎる**と**下痢**や**嘔吐**《おうと》を起こす。
経管栄養剤の濃度	**高すぎる**と**下痢**を起こす。
経管栄養剤の温度	**低すぎる**と**下痢**を起こす。

●経管栄養を実施している人への主な支援内容

・経管栄養の準備は、**石鹸**《せっけん》と**流水**で丁寧に手を洗ってから行う。
・経管栄養実施時の姿勢は仰臥位《ぎょうがい》ではなく、**座位**姿勢とする。
　※注入中の姿勢不良は、**嘔吐**《おうと》を誘発するほか、誤って気管に入れば**誤嚥**《ごえん》**性肺炎**を引き起こすおそれがある。
・経管栄養チューブが皮膚に触れる違和感を緩和するとともに、皮膚の掻痒《そうよう》感や炎症を防ぐためにも、清拭《せいしき》等による**スキンケア**が重要となる。
・胃ろう経管栄養であろうと腸ろう経管栄養であろうと、**入浴する**ことは可能である。
・経管栄養を実施している場合、咀嚼《そしゃく》する機会が大幅に減少し、消化酵素の分泌や消化管の蠕動《ぜんどう》運動が低下しやすくなるため、会話等による**口腔**《こうくう》運動や口腔ケアは大切になる。

ヤマかけスペシャル

絶対でる問75題

これまでの介護福祉士試験を分析し、第 37 回試験への出題が予想されるテーマの過去問 75 問をピックアップしました。
出題傾向をしっかりつかんでおきましょう。

領域Ⅰ：人間と社会

①人間の尊厳と自立……46
②人間関係とコミュニケーション……48
③社会の理解……50

領域Ⅱ：介護

④介護の基本……55
⑤コミュニケーション技術……60
⑥生活支援技術……62
⑦介護過程……70

領域Ⅲ：こころとからだのしくみ

⑧こころとからだのしくみ……73
⑨発達と老化の理解……77
⑩認知症の理解……78
⑪障害の理解……81

領域Ⅳ：医療的ケア

⑫医療的ケア……84

でる問　解答と解説……86

領域 I ①人間の尊厳と自立

解答・解説 ☞ P.86

尊厳の保持

出題試験		主な問題内容
34 回	問題 17	性同一性障害がある利用者
	問題 83	弄便《ろうべん》をした利用者への声かけ
35 回	問題 1	利用者の QOL を高める介護実践
36 回	問題 1	今後の生活に不安を感じる利用者への対応

尊厳の保持に関する内容については、「尊厳の保持に関する次の記述のうち、～」というような問題はほとんど出題されていませんが、問題（選択肢）の内容に含まれていることが多くなっています。

介護場面における「尊厳の保持」は、基本的に、「利用者本位を徹底できているか」「自尊心への配慮ができているか」という視点に立って考えれば、問題を解くことができるので、あまり学習時間をかける必要はありません。

でる問 1　A さん（80 歳、女性、要介護 3）は、脳卒中（stroke）の後遺症により左片《ひだりかた》麻《ま》痺《ひ》があり、からだを思うようにコントロールができず、ふらつきが見られる。以前は 2 週間に一度は美容院で長い髪をセットしてもらい、俳句教室に行くのを楽しみにしていた。病気になってからは落ち込むことが増え、介護が必要になったため、介護老人福祉施設に入所した。ノーマライゼーション（normalization）の考え方を踏まえた、A さんへの生活支援として、最も適切なものを 1 つ選びなさい。

① 共同生活のため、夕食は施設の時間に合わせてもらう。
② 洗髪しやすいように、長い髪のカットを勧める。
③ 落ち込んでいるため、居室での生活を中心に過ごしてもらう。
④ 転倒予防のため、車いすを使用してもらう。
⑤ おしゃれをして、施設の俳句クラブに参加するように勧める。

介護福祉士の資質

出題試験		主な問題内容
35 回	問題 65	「求められる介護福祉士像」
	問題 85	利用者の親指の状態を確認した訪問介護員の対応
36 回	問題 67	個別性や多様性を踏まえた介護

社会福祉士及び介護福祉士法に**誠実義務**と**資質向上の責務**が追加されているように、介護福祉士の資質に関する問題の重要性は増しています。

ここで出題される内容の中心は、社会福祉士及び介護福祉士法の規定と日本介護福祉士会倫理綱領です。まずは、社会福祉士及び介護福祉士法で規定されている**誠実義務**、**信用失墜《しっつい》行為の禁止**、**秘密保持義務**、**連携保持義務**、**資質向上の責務**、**名称の使用制限**を暗記しましょう。なお、ここで学習する内容は、この科目のほか、「介護の基本」でも出題されています。

でる問 2　社会福祉士及び介護福祉士法に基づいて、介護福祉士に課せられている誠実義務に関する次の記述のうち、最も適切なものを 1 つ選びなさい。

① 常に担当する利用者の立場に立って業務を行う。

② 国民の保健医療の向上及び福祉の増進を図る。
③ 利用者を心身ともに健やかに育成する責任を負う。
④ 利用者の心身の健康の保持のために必要な措置を講じる。
⑤ 利用者が安心して暮らすことのできる地域社会の実現に寄与する。

■ 自立支援のあり方

出題試験		主な問題内容
33回	問題20	自立生活支援・重度化防止のための見守り的援助
34回	問題18	利用者主体に基づいた対応
	問題19	自立支援
35回	問題64	利用者主体の考えに基づいた対応
	問題67	意思決定支援
	問題112	利用者の思いを聞いた介護福祉職の対応
36回	問題2	自立の種類と考え方
	問題97	訪問介護員が行う見守り的援助

自立支援は、食事介護や排泄《はいせつ》介護などの生活支援技術などの土台となる基本理念です。これまでの試験では、特に事例問題を中心に出題されています。ここでは、特に難しい内容は含まれておらず、**「利用者の希望に合わせながらも、利用者自身ができることは自分で行い、自分でできないことについては支援をする」**ということを念頭に置いて解いていけば、ほとんどの問題は正解することができるでしょう。また、自立支援と関係して、自己決定について問われる場合もあります。

でる問3 利用者の自立生活支援・重度化防止のための見守り的援助に関する次の記述のうち、最も適切なものを１つ選びなさい。

① ごみの分別がわからない利用者だったので、その場でごみを分別した。
② 利用者の自宅の冷蔵庫の中が片づいていないので、整理整頓した。
③ トイレ誘導した利用者の尿パッドを、本人に配慮して無言で取り替えた。
④ 服薬時に、薬を飲むように促して、そばで確認した。
⑤ 利用者が居間でテレビを見ているそばで、洗濯物を畳《たた》んだ。

■ 虐待《ぎゃくたい》と身体拘束

出題試験		主な問題内容
33回	問題16	高齢者虐待防止法
	問題93	障害者虐待防止法における心理的虐待
34回	問題2	高齢者虐待防止法に基づく対応
35回	問題16	高齢者虐待防止法
	問題51	障害者虐待防止法

虐待と身体拘束に関する内容のうち、高齢者虐待や障害者差別解消法については、毎年のように出題されています。また、身体拘束もおさえておきたいテーマの１つです。**虐待については、高齢者虐待や障害者虐待の種類**と、**虐待発見時の通報先、虐待への対応方法**に関する内容が出題されやすくなっています。**身体拘束については、どのような行為が身体拘束に該当するか、やむを得ず身体拘束をする場合の対応方法**を中心に覚えるようにしましょう。ここで学習する内容は、この科目のほか、「介護の基本」などの科目でも出題されています。

でる問 4 知的障害のあるBさん（40歳、男性）は、就労移行支援事業所を利用して、現在、株式会社Uに勤務している。あるとき、就労移行支援事業所に勤務するC介護福祉職は、Bさんから、職場で上司から虐待《ぎゃくたい》を受けているという相談を受けた。C介護福祉職の対応として、最も適切なものを1つ選びなさい。

① 株式会社Uに出向いて、虐待をやめるよう申し入れることにした。
② 警察に通報することにした。
③ 我慢して職場を辞めないように助言することにした。
④ 地域包括支援センターに報告することにした。
⑤ Bさんの勤務先のある市町村または都道府県に通報することにした。

領域 I ②人間関係とコミュニケーション ……… 解答・解説 ☞ P.86

■ コミュニケーションの基礎と対人関係

コミュニケーションの基礎と対人関係に関する内容は、「人間関係とコミュニケーション」のほか、「コミュニケーション技術」でも出題されます。よって、**両科目は関連させながら学習**する必要があるでしょう。出題頻度が高い内容として、**自己覚知《かくち》**、**自己開示**、**ラポール（信頼関係）**、**共感的態度**が挙げられます。これらの用語については、その意味についても確実に理解しておく必要があります。特にラポール（信頼関係）については、その形成に向けた**初対面や初期段階**での関わり方、**家族**との関わり方が問われる場合もあります。また、**バイステックの7原則**については、各原則とその意味をセットで覚えることが求められます。

出題試験		主な問題内容
33回	問題3	人間関係における役割葛藤《かっとう》
	問題4	言語メッセージと非言語メッセージ
34回	問題4	自己開示
	問題21	ヤングケアラーである孫への対応
35回	問題4	初対面の利用者との信頼関係形成
	問題69	不安を訴える利用者への声かけ
	問題75	家族と信頼関係を形成するための留意点
36回	問題3	集団凝集性
	問題74	非言語コミュニケーション
	問題75	家族との信頼関係を目的としたコミュニケーション

でる問 5 介護老人保健施設に入所しているBさんは、最近、レクリエーション活動を休むことが多くなった。担当のC介護福祉職が話を聞いたところ、Bさんは「参加したい気持ちはあるので、次回は参加します」と言いながらも、浮かない表情をしていた。C介護福祉職は「自分の気持ちを我慢しなくてもいいですよ」とBさんに言った。このときのC介護福祉職の言葉かけに該当するバイステックの7原則の内容として、最も適切なものを1つ選びなさい。

① 個別化　② 秘密保持
③ 意図的な感情表出
④ 自己決定　⑤ 非審判的態度

■コミュニケーションを図る場づくり

出題試験		主な問題内容
33回	問題31	利用者と家族の意向が対立する場面での留意点
34回	問題27	SOLER（ソーラー）
35回	問題80	レクリエーション活動の留意点
36回	問題80	介護老人福祉施設でのレクリエーション活動

コミュニケーションを図る場づくりに関する内容には、介護福祉職が利用者とコミュニケーションを図るうえで配慮すべき、**いすの配置などの外的要件**、**姿勢**、**話し方**、**働きかけ**などが含まれています。

この項目は、コミュニケーションの基礎となるものですので、必ず理解しなければなりません。また、ここでの内容は、「コミュニケーション技術」や「生活支援技術」「総合問題」などの科目でも出題される可能性があります。

でる問 6

介護福祉職と利用者のコミュニケーションを促す場面づくりに関する次の記述のうち、最も適切なものを1つ選びなさい。

① 利用者との関係性をつくる座り方として、直角法より対面法の方が有効である。
② 対面法で座る場合、視線を向けることのできる花瓶などを机の上に置くとよい。
③ 利用者に近づけば近づくほど、親密な雰囲気になって利用者は話しやすくなる。
④ 利用者が座っているときも、介護職は立ったままで話しかけてよい。
⑤ 介護職が腕や足を組んだ姿勢をとると、利用者はより話しやすくなる。

■チームマネジメント

出題試験		主な問題内容
35回	問題5	PDCAサイクル
	問題6	OJT
36回	問題6	組織図

第35回試験から新出題基準が適用され、「人間関係とコミュニケーション」の中に**チームマネジメント**に関する内容が加わりました。今後、**PDCAサイクル**や**OJT**のほか、**法令遵守（コンプライアンス）**や**BCP（Business Continuity Plan：事業継続計画）**、**フォロワーシップ**、**Off-JT**、**SDS**、**コーチング**、**スーパービジョン**、**コンサルテーション**等に関する内容が出題される可能性があります。まずは、これらの用語の意味を確認しておくことが必要です。その上で**介護福祉の現場と関連させながら学ぶ**と理解が深まるでしょう。

でる問 7

D介護福祉職は、利用者に対して行っている移乗の介護が苦手で、その技術向上を目的としたOJTを希望している。次のうち、D介護福祉職に対して行うOJTとして、最も適切なものを1つ選びなさい。

① 苦手な移乗の介護は控えるように指示する。
② 職場外の専門家に相談するように助言する。
③ 専門書の購入を勧める。
④ 先輩職員が移乗の介護に同行して指導する。
⑤ 外部研修の受講を提案する。

領域 I ③社会の理解

解答・解説 ☞ P.87

社会福祉の理念と歴史と動向

社会福祉の理念や歴史、動向に関する内容は、毎年のように出題されています。具体的には**ナショナルミニマム**や**ノーマライゼーション**、**アドボカシー**、**ソーシャルインクルージョン**などについて問われています。社会福祉の歴史については、日本の**社会保障や社会福祉に関する制度がどのように整備されたか**という内容が多く出題されています。また、社会福祉の動向として、比較的新しく成立した法制度の内容が問われる場合もあります。

出題試験		主な問題内容
33 回	問題 1	ソーシャル・ケース・ワーク
	問題 7	福祉六法
	問題 12	ノーマライゼーションの意味
	問題 18	ソーシャルロール・バロリゼーション
34 回	問題 1	メイヤロフ『ケアの本質』
	問題 5	ニッポン一億総活躍プラン
	問題 8	2020（令和 2）年社会福祉法改正
35 回	問題 8	地域共生社会
	問題 50	IL（自立生活）運動
	問題 68	ユニバーサルデザイン
36 回	問題 9	セツルメント
	問題 10	社会福祉基礎構造改革
	問題 49	ノーマライゼーションと 1959 年法

でる問 8 国家が国民に保障する最低限度の生活水準を表す用語として、正しいものを1つ選びなさい。

① リハビリテーション　② エンパワメントアプローチ（empowerment approach）
③ ナショナルミニマム（national minimum）
④ ソーシャルインクルージョン（social inclusion）　⑤ ウェルビーイング（well-being）

家族・集団・地域社会と国民生活の動向

地域社会に関係する内容は、近年、出題が増えています。特に自助・互助・共助・公助やボランティア活動、特定非営利活動法人（NPO 法人）、社会福祉法人などは、出題されやすいため、しっかり学習しておきましょう。また、**国民生活基礎調査**など国民生活の動向を示す統計データについての出題が多くなっています。統計データに関する問題は、「介護の基本」などでも出題される可能性があります。

出題試験		主な問題内容
33 回	問題 5	家族の変容に関する動向
	問題 6	セルフヘルプグループ
	問題 17	国民生活基礎調査
34 回	問題 6	2019（平成 31・令和元）年の日本の世帯
	問題 7	日本の社会福祉を取り巻く環境
	問題 71	日本の健康寿命と平均寿命と死因
35 回	問題 7	社会福祉協議会
	問題 115	自助・互助・共助・公助
36 回	問題 7	セルフヘルプグループ
	問題 8	特定非営利活動法人（NPO 法人）
	問題 64	介護を取り巻く状況

でる問 9 地域包括ケアシステムでの自助、互助、共助、公助に関する次の記述のうち、最も適切なものを1つ選びなさい。

① 自助は、公的扶助を利用して、自ら生活を維持することをいう。
② 互助は、社会保険のように制度化された相互扶助をいう。
③ 共助は、近隣住民同士の支え合いをいう。
④ 共助は、社会保障制度に含まれない。
⑤ 公助は、自助、互助、共助では対応できない生活困窮等に対応する。

■ 社会保障と社会保険

出題試験		主な問題内容
33回	問題8	2017（平成29）年度の社会保障給付費
35回	問題9	1950（昭和25）年の「社会保障制度に関する勧告」

社会保障と社会保険に関する内容は、出題されやすい反面、学習範囲が広く難易度も高いため、多くの学習時間が必要です。また、社会保険の内容は、法改正が頻繁に行われるので、情報収集もかかせません。ここは苦手で勉強したくないという受験生は、「2問程度は捨ててもいい」と割り切り、他の項目に学習時間を費やすというスタンスでも問題ないでしょう。ただし、**「日本の社会保障には社会福祉、社会保険、公的扶助、公衆衛生および医療、老人保健があり、社会保険には医療保険、年金保険、雇用保険、労働者災害補償保険、介護保険がある」**ということは必ず覚えておきましょう。

でる問 10 日本の社会保険制度に関する次の記述のうち、適切なものを1つ選びなさい。

① 加入は、個人が選択できる。
② 保険料だけで運営され、公費負担は行われない。
③ 医療保険、年金保険、雇用保険、労災保険、介護保険の５つである。
④ 給付の形態は、現金給付に限られる。
⑤ 保険料は、加入者個人のリスクに見合った額になる。

■ 介護保険制度

出題試験		主な問題内容
33回	問題9	介護保険法の保険者
	問題10	介護保険制度の利用
34回	問題10	保険給付の財源構成
35回	問題10	要介護認定で区分変更する際の申請先
36回	問題12	都道府県・指定都市・中核市が指定・監督を行うサービス
	問題115	介護保険制度の利用
	問題118	居宅介護住宅改修費の支給限度基準額

介護保険制度は、社会保険の1つですが、試験の出題頻度があまりにも高いことから、単独の項目立てにしています。介護保険制度に関する内容は、介護保険サービスに関する問題を含めなくても、毎年出題されています。

具体的には被保険者資格、要介護認定、保険者、利用者負担、地域包括支援センター、介護保険サービスの種類など、かなりボリュームがあります。まずは、過去に出題されている**要介護認定**、**被保険者**、**保険者**を中心に学習し、加えて**2023（令和5）年の介護保険制度の改正点**もおさえておきましょう。

でる問 11 介護保険制度の被保険者に関する次の記述のうち、正しいものを1つ選びなさい。

① 第2号被保険者は、20歳以上65歳未満の医療保険加入者である。
② 第1号被保険者は、65歳以上の者である。
③ 第1号被保険者の保険料は、国が徴収する。
④ 第2号被保険者の保険料は、都道府県が徴収する。
⑤ 介護保険制度への加入は任意である。

■ 障害者総合支援法と関連サービス

出題試験		主な問題内容
33回	問題13	共生型サービス
	問題14	障害者総合支援法における障害者の定義
	問題15	障害支援区分を判定する組織
34回	問題12	自立生活援助
	問題13・122	重度訪問介護
	問題94	障害者総合支援法で定める協議会
35回	問題13	障害福祉サービスの支給申請
	問題14	利用者負担としての応能負担
	問題57	自立支援協議会の機能・役割
	問題122	地域活動支援センター
36回	問題14	重度訪問介護
	問題122	移動支援
	問題125	計画相談支援

障害者総合支援法は、正式名称は「障害者の日常生活及び社会生活を総合的に支援するための法律」です。障害福祉に関連する法制度の中では最も出題頻度が高く、介護保険制度と並んで「社会の理解」では外すことができない法制度です。まずは法の理念や対象となる障害者の定義を確認したうえで、**障害福祉サービス**の内容とその**利用手続き**を中心に学習していきましょう。

特に**介護給付**（居宅介護、同行援護、行動援護、生活介護、施設入所支援等）、**訓練等給付**（就労移行支援、就労継続支援A型・B型、就労定着支援、共同生活援助等）、**自立支援医療**、**補装具費支給**、**相談支援**（基本相談支援、地域相談支援、計画相談支援）といった**自立支援給付**は出題されやすいため、時間をかけた丁寧な学習が必要です。

でる問 12 「障害者総合支援法」に関する次の記述のうち、適切なものを1つ選びなさい。

① 法律の目的には、障害児の保護者の所得保障が規定されている。
② 障害者の年齢を20歳以上と規定している。
③ 知的障害者や精神障害者の場合は、その家族が支給決定の申請をすることとしている。
④ 障害児の障害支援区分認定のための調査は、保護者の申請があれば行わなくてもよい。
⑤ 障害支援区分の審査および判定を行う場合、市町村審査会は、その対象となる障害者の家族に意見を聴くことができる。

（注）「障害者総合支援法」とは、「障害者の日常生活及び社会生活を総合的に支援するための法律」のことである。

■ 障害者福祉と関連法制度

出題試験		主な問題内容
33回	問題89	障害者の権利に関する条約

障害者福祉と関連法制度の問題数は、近年増加

傾向を示しています。ただし、関連する法制度の数が多いため、まずは過去に出題された**障害者基本法**、**障害者差別解消法**、**障害福祉計画**を中心に学習を進めていく必要があります。特に障害者差別解消法は出題されやすいため、「**合理的配慮**」も含めて、その中身をしっかりと確認しておきましょう。

出題試験		主な問題内容
34回	**問題 11**	身体障害、知的障害、精神障害の近年の状況
	問題 87	障害者の法的定義
35回	**問題 11**	合理的配慮を踏まえた対応
	問題 12	2011（平成23）年の障害基本法改正
36回	**問題 13**	障害者基本法と障害者差別解消法
	問題 56	合理的配慮

時間にゆとりがある場合には**発達障害者支援法**、**バリアフリー新法**（高齢者、障害者等の移動等の円滑化の促進に関する法律）、**障害者雇用促進法**、障害者手帳（身体障害者手帳、療育手帳、精神障害者保健福祉手帳）についても学習しておくとよいでしょう。

でる問 13　「障害者差別解消法」に関する次の記述のうち、適切なものを１つ選びなさい。

① 合理的配慮とは、すべての障害者に同じ配慮をすることである。
② 障害者は、合理的配慮の提供に努めなければならない。
③ 法の対象者は、身体障害者手帳を持っている人である。
④ 共生社会の実現を目指している。
⑤ 障害者差別解消支援地域協議会は、民間事業者で組織される。

（注）「障害者差別解消法」とは、「障害を理由とする差別の解消の推進に関する法律」のことである。

■ 生活保護と関連法制度

出題試験		主な問題内容
34回	**問題 16**	生活保護制度
35回	**問題 18**	生活困窮《こんきゅう》者自立支援法

生活保護法に関する内容は、特に出題されやすいため、しっかりと学習しておく必要があります。これまでの出題内容をみると、扶助の給付方法、介護保険制度との関係、生活保護受給者の動向など、多岐にわたっているので、的が絞りにくくなっていますが、**保護の基本原理・原則**と、**扶助の種類・給付範囲・給付方法**を中心におさえておけば、高確率で得点できるでしょう。特に介護と関係の深い**介護扶助**については、必ず学習しておきましょう。

でる問 14　生活保護制度に関する次の記述のうち、正しいものを１つ選びなさい。

① 生活保護で保障される最低限度の生活は、健康で文化的な生活水準を維持することができるものでなくてはならない。
② 生活保護は、利用しているサービス事業所の担当者が本人に代わって申請することができる。
③ 生活保護は、世帯を分離して実施することはできない。
④ 自分の家や車を所有している人は、すべて生活保護の対象とならない。
⑤ 年金や稼働収入がある高齢者は、すべて生活保護の対象とならない。

■ 権利擁護と関連法制度

出題試験		主な問題内容
34 回	問題 14	成年後見人等の職種
	問題 125	日常生活自立支援事業
35 回	問題 43	日常生活自立支援事業
36 回	問題 50	法定後見制度と家庭裁判所
	問題 55	日常生活自立支援事業

権利擁護と関連法制度に関する内容は、出題頻度が高く、今後も出題が見込まれます。これまでの試験で出題されている内容には、主に**日常生活自立支援事業**、**高齢者虐待《ぎゃくたい》防止法**、**障害者差別解消法**、**成年後見制度**、**個人情報保護法**があります。他に「人間の尊厳と自立」「介護の基本」「認知症の理解」「障害の理解」などの科目でも出題されています。そのため、出題頻度の高い**日常生活自立支援事業、高齢者虐待防止法、障害者差別解消法、成年後見制度の４点**については、理解できるまでじっくりと学習してください。

さらに、**障害者虐待防止法**も今後は出題される可能性が高いので、法の目的、定義、規定内容などの概要部分はおさえておきましょう。障害者虐待防止法は、高齢者虐待防止法と比べながら学習していくと理解しやすく効率的です。

でる問 15　権利擁護に関する次の記述のうち、適切なものを１つ選びなさい。

① 法定後見開始の申立てができるのは、利用者本人とその配偶者に限られている。
② 任意後見制度では、利用者本人による任意後見人の選任を認めている。
③ 日常生活自立支援事業の対象者は、認知症高齢者で判断能力が不十分な者に限られている。
④ 日常生活自立支援事業では、公共料金の支払いの支援は対象から除かれている。
⑤ 映像や音声の情報は、医療・介護関係事業者の個人情報保護の対象ではない。

■ 保健医療と関連法制度

出題試験		主な問題内容
33 回	問題 70	後期高齢者医療制度の被保険者
34 回	問題 15	保健所
	問題 117	医療保護入院の制度
36 回	問題 11	後期高齢者医療制度

保健医療と関連法制度に関する内容は、毎年ではないものの、出題される可能性が高いテーマです。出題パターンとしては、**医療提供施設や精神障害者の入院形態（任意入院や措置入院など）の内容を確認**するものがみられます。これらの内容には、**「20 人以上」**や**「72 時間以内」**などの数字が含まれていることも多いので、その**数字を正確**に覚えましょう。また、健康保険や特定健康診査に関する問題も出題されています。保健医療に関連する法制度の種類はかなり多いので、過去の試験で出題された実績のある法制度に絞って、学習時間の効率化を図りましょう。

でる問 16　医療法上の医療提供施設に関する次の記述のうち、正しいものを１つ選びなさい。

① 病院は、20 人以上の入院施設がなくてはならない。
② 歯科を診療科目とする病院を開設することはできない。

③ 診療所は、29 人以下の入院施設がなくてはならない。

④ 調剤を実施する薬局は、医療法上の医療提供施設ではない。

⑤ 介護老人保健施設とは、療養病床を有する病院のことをいう。

領域Ⅱ ④介護の基本

解答・解説 ☞ P.89

■ 社会福祉士及び介護福祉士法

出題試験		主な問題内容
35 回	問題 66	資質向上の責務
36 回	問題 65	信用失墜行為の禁止

社会福祉士及び介護福祉士法に関する内容は、1問程度出題される場合があります。過去問題をみると、この科目と「人間の尊厳と自立」の科目から出題された年もありました。

ここでは、特に**介護福祉士の義務規定**が出題されやすいので、確実に理解できるまで学習していきましょう。2011（平成 23）年の社会福祉士及び介護福祉士法の改正に基づいて、介護福祉士による実施が可能となった**喀痰《かくたん》吸引等の制度**や、介護福祉士資格に関する情報にも注意を払っておきましょう。

でる問 17 社会福祉士及び介護福祉士法に関する次の記述のうち、適切なものを1つ選びなさい。

① 介護に従事している者は、介護福祉士を名乗ることができる。

② 介護福祉士の業として、介護者に対する介護に関する指導が含まれる。

③ 成年被後見人や被保佐人は、介護福祉士として登録することはできない。

④ 介護福祉士は信用失墜《しっつい》行為をした場合、罰則により 1 年以下の懲役または 30 万円以下の罰金に処せられる。

⑤ 介護福祉士国家試験に合格した日から、介護福祉士を名乗ることができる。

■ 介護福祉士の倫理

出題試験		主な問題内容
33 回	問題 2	介護福祉職の職業倫理に基づく対応
	問題 25	介護施設におけるプライバシーの保護
34 回	問題 24	介護福祉士の職業倫理
	問題 25	個人情報の安全管理対策
35 回	問題 15	個人情報保護法に基づくプライバシー保護
36 回	問題 66	施設利用者の個人情報の保護
	問題 113	事例研究で遵守すべき倫理的配慮

介護福祉士の倫理に関する内容は、今後、介護福祉士として活躍するうえで重要な内容です。出題される内容自体は、簡単なものが多く、勤務中に私用メールをしないなど、社会人として当たり前のことが出題される可能性もあります。

ここでは、**プライバシーの保護、個人情報保護法、秘密保持、介護福祉士の職業倫理**について、しっかりと理解していれば十分得点することができるでしょう。

でる問 18 施設で生活する利用者の個人情報の保護に関する次の記述のうち、最も適切なものを1つ選びなさい。

① 利用者の音声情報は、同意を得ずに使用できる。

② 個人情報保護に関する研修会を定期的に開催し、意識の向上を図る。

③ 職員がすべての個人情報を自由に閲覧できるように、パスワードを共有する。

④ 個人情報を記載した書類は、そのまま新聞紙と一緒に捨てる。

⑤ 職員への守秘義務の提示は、退職時に書面で行う。

■ 国際生活機能分類（ICF）

出題試験		主な問題内容
33回	問題19	ICFにおける環境因子
	問題87	ICFの社会モデルに基づく障害のとらえ方
34回	問題20	参加制約の原因である環境因子
36回	問題116	訪問介護員が意図した関わりとICF

国際生活機能分類（ICF）に関する内容は、この科目や「介護過程」「障害の理解」のいずれかの科目で必ず出題されています。今後も少なくとも1問は出題されることが予想できますので、**6つの構成要素の意味を中心に理解**を深めましょう。特に難しい内容は含まれていませんので、過去問題や予想問題を繰り返し解けば、十分得点することができます。

でる問 19 Gさん（70歳、男性、要介護2）は、パーキンソン病（Parkinson disease）と診断されていて、外出するときは車いすを使用している。歩行が不安定なため、週2回通所リハビリテーションを利用している。Gさんは、1年前に妻が亡くなり、息子と二人暮らしである。Gさんは社交的な性格で地域住民との交流を望んでいるが、自宅周辺は坂道や段差が多くて移動が難しく、交流ができていない。

Gさんの状況をICF（International Classification of Functioning, Disability and Health：国際生活機能分類）で考えた場合、参加制約の原因になっている環境因子として、最も適切なものを1つ選びなさい。

① 車いす　② パーキンソン病（Parkinson disease）

③ 息子と二人暮らし　④ 不安定な歩行

⑤ 自宅周辺の坂道や段差

■ リハビリテーション

出題試験		主な問題内容
33回	問題21	高齢者のリハビリテーション
	問題88	リハビリテーションの意味

リハビリテーションに関する内容も、出題される可能性のあるテーマです。

ここでは、**リハビリテーションの意味や領域、リハビリテーションの種類、リハビリテーション専門職の業務に関する内容**が頻繁に出題されていますので、この3点を中心に学習していきましょう。特にリハビリテーションの4領域である「**医学的**」「**職業的**」「**教育的**」「**社会的**」についてのそれぞれの内容や、**理学療法士、作業療法士、言語聴覚士**の**違い**については必ず理解しておいてください。また、リハビリテーションとの関連で介護予防や自立支援・重度化防止に関する内容もおさえておくとよいでしょう。余裕がある場合は、関節リウマチなどの疾患や障害の種類別のリハビリテーションについても学習しましょう。

でる問 20 世界保健機関（WHO）によるリハビリテーションの定義で、「利き手の交換」が該当するものとして、適切なものを1つ選びなさい。

① 職業的リハビリテーション
② 医学的リハビリテーション
③ 経済的リハビリテーション
④ 教育的リハビリテーション
⑤ 社会的リハビリテーション

■ 介護保険サービス

出題試験		主な問題内容
33回	問題23	介護医療院
34回	問題9	サービス付き高齢者向け住宅
	問題116	訪問介護で対応可能な支援
	問題118	養護老人ホーム
36回	問題48	短期入所生活介護
	問題69	特定福祉用具販売
	問題117	介護老人保健施設

介護保険サービスに関する内容は、出題頻度が高く、その内容は、この科目だけでなく他の科目での出題も目立ちます。

ここでは、介護保険制度のサービスである居宅サービス、地域密着型サービス、施設サービスなど、**すべての介護保険サービスの対象や支援内容**について、少し時間がかかっても理解できるまで学習する必要があります。学習する際は、「サービス提供責任者が訪問介護計画を作成する」という**「誰が」**という部分と、「小規模多機能型居宅介護事業所の登録定員は29人以下とする」などの**「数字」**の部分をしっかりと覚えましょう。特に**訪問介護（ホームヘルプサービス）、介護老人福祉施設、看護小規模多機能型居宅介護、認知症対応型共同生活介護（認知症グループホーム）**は出題されやすいので、時間にゆとりがない場合には、この4点に絞って学習してもよいでしょう。

でる問 21 看護小規模多機能型居宅介護に関する次の記述のうち、適切なものを1つ選びなさい。

① 居宅サービスに位置づけられている。
② 長期間の宿泊を目的としている。
③ 管理者は医師とされている。
④ 都道府県域でのサービス提供を行う。
⑤ 看護と介護を一体的に提供する。

■ 他の職種・機関の役割と連携

出題試験		主な問題内容
33回	問題24	利用者の希望に沿ったサービス
34回	問題46	食事支援で連携する職種
35回	問題58	他職種・関係者が果たす役割
36回	問題15	消費生活センター
	問題17	結核と保健所の役割
	問題18	福祉事務所
	問題70	民生委員
	問題89	管理栄養士との連携

他の職種・機関の役割と連携に関する内容は、毎年出題され、短文事例形式で出題されることも少なくありません。

ここでは、まず**介護福祉士以外の専門職の根拠法令、業務内容、義務**などを理解しましょう。また、介護福祉士が他の職種と連携を図る場合には、**他の専門職の専門領域を尊重すること、情報の共有、支援目標**などについて**共通認識をもつことが大切**であることも頭に入れておきましょう。

でる問 22 介護保険施設における専門職の役割に関する次の記述のうち、最も適切なものを１つ選びなさい。

① 利用者の栄養ケア・マネジメントは、薬剤師が行う。
② 認知症（dementia）の診断と治療は、作業療法士が行う。
③ 利用者の療養上の世話又は診療の補助は、社会福祉士が行う。
④ 日常生活を営むのに必要な身体機能改善や機能訓練は、歯科衛生士が行う。
⑤ 施設サービス計画の作成は、介護支援専門員が行う。

■ ケアマネジメント

ケアマネジメントに関する内容は、介護過程と密接に関連します。

ここでは、まずケアマネジメントと介護過程の違いを確認しておきましょう。そのうえで、**介護支援専門員の業務内容とケアプランの作成過程**を中心に学習していくことが重要です。その際、介護予防ケアマネジメントや介護予防支援は、**地域包括支援センターの保健師等が実施**することも覚えておきましょう。

出題試験		主な問題内容
33 回	問題 11	認知症対応型共同生活介護計画
34 回	問題 22	サービス担当者会議
	問題 23	フォーマルサービス
	問題 95	サービス等利用計画
35 回	問題 108	居宅サービス計画と訪問介護計画
36 回	問題 57	サービス等利用計画と相談支援専門員
	問題 58	家族の介護力をアセスメントする際の視点

でる問 23 介護保険制度のサービス担当者会議に関する次の記述のうち、最も適切なものを１つ選びなさい。

① 月１回以上の頻度で開催することが義務づけられている。
② 利用者の自宅で開催することが義務づけられている。
③ 利用者の氏名は匿名化される。
④ 会議の招集は介護支援専門員（ケアマネジャー）の職務である。
⑤ サービス提供者の実践力の向上を目的とする。

■ 介護における安全の確保とリスクマネジメント

介護における安全の確保とリスクマネジメントの内容については、受験生自身はもちろんのこと、実際に介護福祉職として利用者を支援する際にも重要となります。最近では**介護保険施設での安全確保策**や**防災**に関する内容が出題される等、介護現場で求められる知識が具体的に出題されるようになってきています。

学習する際は①事故防止を図る**リスクマネジメ**

出題試験		主な問題内容
33 回	問題 26	ハインリッヒの法則
35 回	問題 73	利用者の危険を回避するための対応
	問題 124	自閉症スペクトラム障害を考慮した避難訓練
	問題 125	障害者支援施設の災害への取り組み
36 回	問題 16	災害時の福祉避難所
	問題 71	「洪水・内水氾濫《はんらん》」を表すマーク

ント、②事故にならなかったが危うく事故になりそうだった**ヒヤリ・ハット（インシデント）**、③実際に発生した**事故（アクシデント）**について関連させながら理解していきましょう。いずれにしても、ここでは、どのような場面・状況にどのような危険が潜んでいるのか、どのような点に注意を払わなければならないのか、どのような対策が考えられるのかという視点に立って学習を進めていく必要があります。

でる問 24 リスクマネジメントに関する次の記述のうち、最も適切なものを１つ選びなさい。

① 細心の準備をすれば、事故は起こらない。
② 小さな介護事故は、個人で対応する。
③ 介護事故の報告を済ませたら、その後の対応は組織の代表者に一任すればよい。
④ 介護業務に慣れると事故は起こらない。
⑤ ヒヤリ・ハット事例の収集・分析が、事故を防ぐことにつながる。

■ 介護福祉職の労働環境と健康管理

出題試験		主な問題内容
34 回	問題 26	ハラスメントへの対応
35 回	問題 3	問題焦点型コーピング
36 回	問題 5	燃え尽き症候群の防止

介護福祉職の労働環境と健康管理に関する問題は毎年のように出題されており、重要度が増してきています。ここでは**労働基準法、労働安全衛生法、育児・介護休業法**を中心に理解しておく必要があります。その際は、「労働基準法→**休憩を除き、週 40 時間、1 日 8 時間を超えての労働禁止**」「労働安全衛生法→**従業員 50 人以上でストレスチェック義務づけ**」というように、各法律と重要ポイントをセットで覚えるようにします。特に育児・介護休業法については法改正の内容を確認し、**最新の情報を把握**しておくことが必要です。また、介護福祉職の健康管理として、**腰痛や燃え尽き症候群（バーンアウト・シンドローム）の予防**についても学習しておきましょう。

でる問 25 「ストレスチェック制度」に関する次の記述のうち、適切なものを１つ選びなさい。

① 労働者のメンタルヘルス不調の未然防止が主な目的である。
② ストレスチェックは、会社の上司が実施する。
③ ストレスチェックは、労働者数 30 人以上の事業者に義務づけられている。
④ 各事業所で 2 年に一度実施することが規定されている。
⑤ 実施した結果は、事業者から労働者に対して通知することが義務づけられている。

（注）「ストレスチェック制度」とは、労働安全衛生法で定める「労働者に対して行う心理的な負担の程度を把握するための検査及びその結果に基づく面接指導の実施等を事業者に義務づける制度」のことである。

■ 感染対策

出題試験		主な問題内容
35 回	問題 59	消毒と滅菌
	問題 97	ノロウイルスによる感染症の予防

感染対策に関する内容は、毎年ではないものの

１～２問出題される場合があります。主な出題内容は、手洗いやうがいなどの**基本的な感染予防の方法**、**感染症の原因**、**隔離が必要な感染症の種類**、**感染拡大の防止に向けた対応**となっています。

出題試験		主な問題内容
36 回	問題 72	介護における感染症対策

まずは、出題頻度が最も高い**基本的な感染予防の方法を理解**することが大切です。この内容は、参考書だけでなく、病院のパンフレットやテレビの情報番組などでも学習できます。介護現場における感染対策は、集団感染の危険性などからも重要性が高いテーマといえるでしょう。

でる問 26 Aさん(70 歳、女性)は、ある日の夜中に数回にわたって下痢便がみられ、起床時には嘔吐《おうと》し、腹痛と発熱がみられた。Aさんに確認すると、２日前に知人と外出して貝を生で食べたことがわかった。その後も嘔吐、腹痛が止まらないので、ノロウイルス（Norovirus）の感染が疑われた。

原因がわかるまでの間、施設内感染の対策で、Aさんの吐物を拭き取るときに用いるものとして、正しいものを１つ選びなさい。

① ぬるま湯　② 消毒用エタノール溶液　③ ベンザルコニウム塩化物溶液
④ 次亜塩素酸ナトリウム溶液　⑤ クロルヘキシジングルコン酸塩溶液

領域Ⅱ ⑤コミュニケーション技術

解答・解説 ☞ P.91

■ コミュニケーション技法

コミュニケーション技法に関する内容は、毎年出題されています。その内容は、「人間関係とコミュニケーション」や「総合問題」などの他の科目での出題も目立ちます。

ここでは、**受容**、**傾聴**、**要約**、**直面化**、**言い換え**などの各コミュニケーション技術について、**活用する場面やその技術の効果を中心に整理**しておくとよいでしょう。そのうえで、過去問題や予想模試などを何度も解いておけば十分に得点することは可能です。

出題試験		主な問題内容
33 回	問題 27	コミュニケーション技術
	問題 30	開かれた質問
34 回	問題 28	アサーティブ・コミュニケーション
	問題 119	繰り返し
35 回	問題 74	閉じられた質問
36 回	問題 4	準言語の活用

でる問 27 統合失調症で入院していたDさん（70 歳、男性）は、１か月後に養護老人ホームへの入所が決まり、うれしそうに退院の準備をするようになった。ある夜、１人で荷物の整理をしていたときに転んでしまい、顔を強打して大きなあざができた。後遺症はないことがわかったが、Dさんは自信をなくし、介護福祉職に「これでは施設も自分を受け入れてくれないだろう」と言い、「施設入所がうれしくて早く準備がしたかった」と話した。そばに寄り添い、Dさんの話を聴き終えた介護福祉職が「施設入所がうれしくて、早く準備をしたかったのですね」と言うと、Dさんは「退院を諦めていたけど、

自分にも暮らせる場所があると思った」とやりたいことや夢を語り出した。

介護福祉職が行ったコミュニケーション技術として、最も適切なものを1つ選びなさい。

① 繰り返し　② あいづち
③ 閉じられた質問　④ 要約　⑤ 言い換え

■ 疾患・障害に応じたコミュニケーション

出題試験		主な問題内容
33回	問題 32	運動性失語症
34回	問題 29・30	先天性の全盲《ぜんもう》
	問題 31	高次脳機能障害
	問題 121	筋萎縮《いしゅく》性側索《そくさく》硬化症（ALS）
35回	問題 70	聴覚障害者標識
	問題 76	老人（加齢）性難聴
	問題 77	重度アルツハイマー型認知症
	問題 118	片麻痺と失語がある利用者とのコミュニケーション方法
36回	問題 76	脳梗塞後遺症による言語障害
	問題 77	抑うつ状態
	問題 78	網膜《もうまく》色素変性症による夜盲

疾患・障害に対するコミュニケーションに関する内容は、毎年出題されています。これまでの傾向をみると、聴覚障害や失語症、認知症、精神障害のある人への**コミュニケーション手段に関する内容**が出題されやすくなっていますので、過去問題からピックアップして、どのような内容が出題されているのかを確認しましょう。

また、問題文に認知症や統合失調症などの疾患・障害が設定されている場合であっても、**共感的態度を示すこと**や**批判をしないこと**など、コミュニケーションの基本的な部分にかわりはありませんので、設定されている疾患・障害にとらわれすぎなくてもよいでしょう。

でる問 28

重度の失語症（aphasia）のある人とのコミュニケーションの方法として、最も適切なものを1つ選びなさい。

① 五十音表を見せて、指でさしてもらう。
② 口を大きく開けて、声を出すように促す。
③ 重度障害者用意思伝達装置を使う。
④ 単語をひらがなで書いてもらう。
⑤ いくつかの絵の中から選んで、指でさしてもらう。

■ ケアカンファレンスと報告・連絡・相談

出題試験		主な問題内容
33回	問題 34	聞き手の留意点
34回	問題 33	家族からの苦情の報告
	問題 34	自宅でのケアカンファレンス
35回	問題 78	勤務交代時の申し送りの目的
	問題 79	ケアカンファレンスでの利用者の状況に関する報告
36回	問題 79	事例検討の目的

ケアカンファレンスと報告・連絡・相談に関する内容は、近年出題頻度が高まっています。また、この項目は、「介護の基本」の他職種の役割と連携と関連が深い内容となっています。ここでは、**介護福祉職がケアカンファレンスに参加する際のあり方**や**報告・申し送りの方法**を中心に学習していきましょう。

でる問 29 同一施設内で多職種が参加して行うカンファレンス（conference）の運営について、最も適切なものを1つ選びなさい。

① 取り上げる議題は、利用者の支援内容を確認することに限定する。
② 会議資料は、事前に配布しないのが原則である。
③ 司会者は、介護支援専門員（ケアマネジャー）と決められている。
④ カンファレンス（conference）の場を、職員のスーパービジョン（supervision）の機会としてよい。
⑤ 多くの職員が参加しやすいように、カンファレンス（conference）は勤務時間外に設定する。

■ 介護記録

出題試験		主な問題内容
33回	問題 33	介護記録を書く時の留意点
	問題 67	主観的な介護記録

介護記録に関して出題される内容は、基本的に記入方法と保管（管理）方法の2点です。これらについて、個人情報の取扱いとの関連から出題されることもあります。

介護記録の記入方法や保管方法は、介護福祉職として活躍する際にも必要な知識です。どのような記述の仕方があるかなどについて、参考書を一通り読み、過去問題などを解いて正解できていれば、本番の問題に対応できるでしょう。介護記録に関する内容は、「介護過程」で出題されることもあります。

でる問 30 介護記録を書くときの留意点として、最も適切なものを1つ選びなさい。

① ほかから得た情報は情報源も書く。
② 介護福祉職の意見を中心に書く。
③ 利用者の気持ちだけを推測して書く。
④ 数日後に書く。
⑤ 客観的事実と主観的情報は区別せずに書く。

領域Ⅱ ⑥生活支援技術

解答・解説 ☞ P.91

■ 住環境整備

出題試験		主な問題内容
33回	問題 35	ヒートショックを防ぐための環境整備の方法
	問題 36	安全で使いやすい扉の工夫
	問題 54	喘息《ぜんそく》のある利用者の自宅の掃除
34回	問題 35	高齢者の住まい
35回	問題 81	安全な移動に配慮した階段の要件
36回	問題 81	関節リウマチと住まいの工夫
	問題 82	心身機能の低下と住環境の改善

住環境整備に関する問題数は増えてきており、重要性がうかがえます。出題頻度が最も高い**高齢者や障害者に配慮した住環境整備**（段差解消、転倒防止策など）と、**介護保険制度の住宅改修**の2点を最優先でおさえましょう。高齢者に配慮した住環境に関しては、位置や向きに注意しながら学習してください。余裕があれば介護老人福祉施設や認知症対応型共同生活介護（認知症グループホーム）、サービス付き高齢者向け住宅、個室ユニット型施設などの設備についても学習しましょう。

でる問 31 介護保険制度の給付対象となる住宅改修として、正しいものを１つ選びなさい。

① 寝室の近くにトイレを増設する。
② 階段に昇降機を設置する。
③ 手すりを取り付けるために壁の下地を補強する。
④ 浴室内にすのこを置く。
⑤ 浴室に暖房機を設置する。

福祉用具の活用

出題試験		主な問題内容
33 回	**問題 42**	第６胸髄節《きょうずいせつ》を損傷した利用者の車いす
34 回	**問題 36**	第７胸髄節《きょうずいせつ》を損傷した利用者の移乗台
	問題 41	スライディングボード
	問題 50	入浴関連用具の使用方法
35 回	**問題 104**	障害特性に適した福祉用具
	問題 105	福祉用具等を安全に使用する方法
36 回	**問題 104**	福祉用具への基本的な考え方
	問題 105	握力低下がある場合に使用する杖

第 35 回試験からの新出題基準では「生活支援技術」の大項目の１つに「福祉用具の意義と活用」が追加され、福祉用具の位置づけがより重視される形となりました。それだけに杖、歩行器、車いすに加え、段差解消機、移乗台、浴槽設置式リフト等、これまで以上に多種多様な福祉用具が出題されることになるでしょう。特に**ノーリフティングケア**の観点から**スライディングシート**（**マット**）や**スライディングボード**、**床走行式リフト**、**スタンディングリフト**等、**移乗・移動を支える福祉用具**についてはしっかりと把握しておく必要があります。その際は、イラストを活用するとよいでしょう。また、介護保険制度の**福祉用具貸与**や**特定福祉用具販売**についても説明できる力が求められます。2024（令和６）年４月施行の貸与・販売選択制についても確認しておきましょう。

でる問 32 標準型車いすを用いた移動の介護に関する次の記述のうち、最も適切なものを１つ選びなさい。

① 砂利《じゃり》道では、駆動輪を持ち上げて進む。
② 踏切を渡るときは、前輪を上げて駆動輪でレールを越えて進む。
③ 急な上り坂は、すばやく進む。
④ 急な下り坂は、前向きで進む。
⑤ 段差を上がるときは、前輪を上げて進み、駆動輪が段差に接する前に前輪を下ろす。

食生活と栄養・調理

出題試験		主な問題内容
33 回	**問題 53**	食中毒の予防
	問題 101	栄養素の働き
34 回	**問題 45**	慢性腎不全《じんふぜん》の利用者の食材や調理方法
	問題 103	三大栄養素の成分
35 回	**問題 98**	弱視の人の調理と買い物の支援
36 回	**問題 90**	血液透析の食事内容

食生活と栄養・調理に関しては、「食事の介護」とともに毎年必ず出題されるため、しっかりと学習しておく必要があります。具体的には**食事バランスガイド**、**5 大栄養素**（**炭水化物**、**脂質**、**たんぱく質**、**ビタミン**、**無機質**）、**調理方法**、**食中毒**（ノロウイルス、サルモネラ菌、腸炎ビブリオ、腸

管出血性大腸菌O-157、ウエルシュ菌等）を中心に学習を進めましょう。特に**ビタミン**（A、C、D、E、B_1、B_{12} 等）や**無機質**（カルシウム、カリウム、マグネシウム、ナトリウム等）の作用、**食中毒の原因**等については種類も多く、間違いやすいため、注意が必要です。近年では、防火を意識した調理方法や食中毒予防のように、リスクマネジメントに関連する出題も増えてきています。

でる問 33　加齢に伴う身体機能の変化に対応した食事として、適切なものを１つ選びなさい。

① 味覚の低下に対しては、塩分や糖分を多く用いる。
② 消化吸収機能の低下に対しては、炭水化物を中心とした食事を基本とする。
③ 唾液《だえき》分泌の低下に対しては、パンを主食にする。
④ 咀嚼力《そしゃくりょく》の低下に対しては、肉料理を控える。
⑤ 腸の蠕動《ぜんどう》運動の低下に対しては、乳酸菌を含む食品を積極的に取り入れる。

■ 食事の介護

出題試験		主な問題内容
33 回	問題 43	加齢による機能低下が疑われる利用者の食事介護
	問題 44	慢性閉塞性《へいそくせい》肺疾患のある利用者の食事介護
34 回	問題 44	嚥下障害
35 回	問題 25	誤嚥を防ぐための最初の対応
	問題 26	誤嚥しやすい高齢者の脱水予防
	問題 87	食事中にむせ込んだ時の介護
	問題 88	食事の介護を行う時の留意点
	問題 89	逆流性食道炎の症状がある利用者への助言
36 回	問題 88	誤嚥しにくいおやつ

食事の介護は「排泄《はいせつ》の介護」「入浴の介護」とともに生活支援技術の中で出題頻度が高いため、確実におさえておく必要があります。

まず**食事の姿勢**と基本的な**食事介護の方法**について理解したうえで、**利用者の状態・状況に応じた食事介護（片麻痺《かたまひ》、視覚障害、嚥下《えんげ》障害、慢性腎不全、糖尿病、低栄養状態、脱水状態）**について学習を進めていきます。その際、「片麻痺の場合→**健側から食事介護**」「視覚障害の場合→**クロックポジションの活用**」「嚥下障害の場合→**嚥下しやすい食品、軽く顎《あご》を引いた姿勢**」というように、利用者の状態・状況別にポイントを整理しておくとよいでしょう。特に嚥下障害のある利用者への食事介護では、**誤嚥《ごえん》しやすい食品、誤嚥性肺炎**についてもセットで覚えるようにします。

でる問 34　いすに座って食事をする利用者の姿勢を確保する介護として、最も適切なものを１つ選びなさい。

① テーブルは、肘《ひじ》がつき腕が自由に動かせるものを用意する。
② 顎《あご》を上げてもらう。
③ いすに浅く座ってもらう。
④ テーブルと体の間を 30cm 離す。
⑤ 体幹を後方に傾けてもらう。

排泄《はいせつ》の介護

排泄の介護に関する内容も食事や入浴などと同じく、毎年必ず複数出題されています。近年では、ポータブルトイレでの排泄介護やおむつ介助の方法、差し込み便器の使用方法、便秘のある利用者への支援、自動採尿器など、出題内容が具体的なものが増えてきました。

そのため、まずは**排泄の失敗を防ぐための支援**など、**排泄介護の基礎**を理解したうえで、過去問題で出題されているポータブルトイレでの排泄介護やおむつ介助の方法、差し込み便器の使用方法などの内容をピックアップして理解を深めていきましょう。

出題試験		主な問題内容
33回	問題 48	自宅のトイレでの排泄
	問題 49	自己導尿への対応
	問題 50	車いす利用者への排泄の介護
34回	問題 51	自然排便《はいべん》を促すための介護
	問題 52	機能性尿失禁の利用者への対応
35回	問題 94	便失禁を改善するための対応
	問題 95	おむつ交換時の陰部洗浄
36回	問題 94	尿路感染症を予防する介護
	問題 95	トイレでの排泄が間に合わない高齢者への助言
	問題 96	グリセリン浣腸器を用いた排泄介護

でる問 35 排便のメカニズムに基づく排泄《はいせつ》の介護として、最も適切なものを1つ選びなさい。

① トイレまでの歩行は、胃・結腸反射を誘発するために有効である。
② 食後の臥床《がしょう》は、腸内の蠕動《ぜんどう》運動の亢進《こうしん》に有効である。
③ トイレ誘導は、便意を催してから30分後が有効である。
④ 腹部マッサージは、下行結腸、横行結腸、上行結腸の順に行うことが有効である。
⑤ 便座に座って足底を床につけた前傾姿勢は、腹圧を高めるために有効である。

入浴の介護

入浴の介護に関する内容は、生活支援技術の中で「食事の介護」「排泄《はいせつ》の介護」と並んで出題数が多く、外すことができません。学習を進める際は入浴の意義・目的、入浴前・中・後の介護上の留意点をおさえたうえで、**対象者別の入浴介護方法**について確認していきます。

出題試験		主な問題内容
33回	問題 45	入浴の身体への作用
34回	問題 47	入浴の介護
	問題 48	シャワー浴
	問題 49	左片麻痺《かたまひ》の利用者への介助
36回	問題 91	右片麻痺の利用者への助言
	問題 92	椅座位《いざい》で足浴を行う方法
	問題 93	ストレッチャータイプの特殊浴槽

具体的には**片麻痺《かたまひ》のある利用者、消化管ストーマ（人工肛門《こうもん》）のある利用者、高血圧や心臓機能障害のある利用者、酸素療法を行っている利用者、血液透析を受けている利用者、老人性皮膚掻痒《そうよう》症のある利用者、胃ろうを造設している利用者**について、それぞれの入浴介護の方法と留意点を整理しておきましょう。**手浴**や**足浴**も出題される可能性があります。特に足浴については**端座位《たんざい》での足浴**に加え、**ベッド上での足浴**についても確認しておきましょう。

でる問 36 利用者の状態に応じた入浴の介護として、最も適切なものを１つ選びなさい。

① 胃ろうを造設している人は、入浴を控える。
② 心臓機能障害がある人は、半身浴にする。
③ 血液透析を受けている人は、透析直後に入浴する。
④ 回腸ストーマを造設している人は、食後１時間以内に入浴する。
⑤ 酸素療法を行っている人は、鼻カニューレを外して入浴する。

■ 清潔保持の介護

出題試験		主な問題内容
33回	問題 46	四肢麻痺《まひ》の利用者の手浴
	問題 47	利用者の状態に応じた清潔の介護
34回	問題 37	耳掃除
35回	問題 90	ベッド上での洗髪
	問題 91	目の周囲の清拭
36回	問題 86	高齢者に対する爪の手入れ

清潔保持の介護に関する問題は、毎年少なくとも１問は出題されています。その中身は幅広いため、**清拭《せいしき》**、**洗髪**、**爪切り**等の内容別に学習していくとよいでしょう。その際は「清拭→**末梢《まっしょう》から中枢へ、用意する湯は 55 ～ 60℃**」「洗髪→**頭皮は指の腹で**」「爪切り→**深爪・バイアス切りはダメ、スクエアオフで**」というように、それぞれの重要ポイントを整理しましょう。清潔保持の介護は「入浴の介護」と関連するため、双方をセットで学習することで相乗効果が期待できます。

でる問 37 利用者の状態に応じた清潔の介護に関する次の記述のうち、最も適切なものを１つ選びなさい。

① 人工透析をしている場合、柔らかいタオルでからだを洗う。
② 糖尿病性神経障害がある場合、足の指の間はナイロンたわしで洗う。
③ 浮腫《ふしゅ》のある部位は、タオルを強く押し当てて洗う。
④ 褥瘡《じょくそう》がある場合、石鹸《せっけん》をつけた指で褥瘡部をこすって洗う。
⑤ 乾燥性皮膚疾患がある場合、弱アルカリ性の石鹸で洗う。

■ 口腔《こうくう》ケア

出題試験		主な問題内容
33回	問題 38	介護が必要な利用者の口腔ケア
	問題 39	口腔内が乾燥している人への助言
34回	問題 38	歯ブラシを使用した口腔ケア
	問題 40	経管栄養を行っている利用者の口腔ケア
35回	問題 24	口臭の原因
	問題 84	総義歯（全部床《しょう》義歯）の取扱い

口腔ケアに関する内容は、ほぼ毎年出題されており、今後も出題される可能性が高いでしょう。

ここでは、加齢によって口腔機能がどのように変化するかということを理解したうえで、**口腔ケアの方法や効果**をしっかりと学習しておきましょう。また、**義歯の取扱い**についても、過去の試験で出題された内容だけは最低限覚えましょう。

でる問38 介護が必要な利用者の口腔《こうくう》ケアに関する次の記述のうち、最も適切なものを１つ選びなさい。

① 歯磨きは、頭部を後屈させて行う。
② うがいができる場合には、ブラッシング前にうがいをする。
③ 部分床義歯のクラスプ部分は、流水で軽く洗う。
④ 舌の清拭《せいしき》は、手前から奥に向かって行う。
⑤ 全部床義歯（総入れ歯）の場合、上からはずす。

■ 着脱の介護

出題試験		主な問題内容
34 回	問題 39	右片麻痺と左肩関節に痛みがある場合の着脱介護
35 回	問題 86	左片麻痺の利用者の上着の交換
	問題 92	着衣失行がある利用者への対応
36 回	問題 87	左片麻痺の着脱の介護

着脱の介護に関する内容は、ほぼ毎年出題されています。基本となる生活支援技術の１つでもあるため、しっかりと理解しておきたいところです。

まず衣服の着脱の目的、**衣服の選択**、着脱時の留意点について確認します。そのうえで**利用者の状態・状況に応じた着脱介護**について学習しましょう。その際、**片麻痺《かたまひ》のある利用者**と**全介助が必要な利用者**（**ベッド上で臥床《がしょう》した状態の利用者**）への着脱介護については出題されやすいため、それぞれの方法・留意点については整理しておく必要があります。特に片麻痺の場合は、「**脱健着患《だっけんちゃっかん》**」の方法を最低限覚えておかなければなりません。

でる問39 介護を必要とする高齢者の衣服と、その支援に関する次の記述のうち、最も適切なものを１つ選びなさい。

① 片麻痺《かたまひ》の高齢者には、支援者が着脱させやすい前あきの上着の購入を勧める。
② 左片麻痺《ひだりかたまひ》がある場合は、左半身から脱ぐように勧める。
③ 生活のリズムを保つために、昼と夜とで衣服を替えるように勧める。
④ 衣服は気候に合わせて支援者が選ぶ。
⑤ 季節に関係なく、保温性よりも通気性を重視した衣類を勧める。

■ 被服と洗濯

出題試験		主な問題内容
33 回	問題 51	洗濯表示の記号
	問題 52	衣服のしみを取る処理方法
34 回	問題 54	次亜塩素酸ナトリウム
	問題 55	まつり縫い
36 回	問題 98	高齢者が靴下・靴を選ぶ際の助言

被服とは衣服や靴下、帽子等、身体に着用するものを指します。この被服は洗濯と関連性が強いため、双方をセットで学習していく必要があります。まず被服を構成する繊維について**天然繊維**（綿、麻、毛、絹）と**化学繊維**（レーヨン、ナイロン、ポリエステル、アクリル等）に分け、それぞれの長所と短所を把握します。そのうえで**洗濯方法**（手洗い、洗濯機洗い、ドライクリーニング等）、**洗剤**や**漂白剤**の使用上の留意点を中心に学習を進めていきましょう。その際は、ビジュアル問題にも対応するため、**洗濯表示**についても確認しておくとよいでしょう。

でる問 40 洗濯に関する次の記述のうち、最も適切なものを1つ選びなさい。

① 色が移るのを防ぐために、素材の違うものは分けて洗濯する。
② 嘔吐《おうと》物で汚れたカシミヤのセーターは、塩素系漂白剤につけてから洗濯する。
③ マジックテープは、はずした状態で洗濯する。
④ ほころびや破れがあるものは、修理してから洗濯する。
⑤ ファスナーは開けた状態で洗濯する。

■ 睡眠の介護

睡眠の介護に関する内容は、「こころとからだのしくみ」の「睡眠のしくみ」と関連が深く、睡眠のしくみに関する問題も毎年のように出題されていることから、今後の試験においても出題頻度が高いと予想できます。

ここでは、**不眠の原因を理解したうえで、その原因を解消する介護方法を中心に学習**していきましょう。

出題試験		主な問題内容
33 回	問題 55	布団を敷いて寝る場合の利点
	問題 56	睡眠の環境を整える介護
	問題 57	不眠で困っている利用者への対応
34 回	問題 56	ベッドメイキング
	問題 57	夜勤のある人の生活習慣
35 回	問題 100	睡眠の環境を整える介護
	問題 101	利用者の入眠に向けた助言
36 回	問題 100	消化管ストーマを造設した利用者への睡眠の介護
	問題 101	睡眠時無呼吸症候群

でる問 41 眠れないと訴える高齢者に介護福祉職が行う助言として、最も適切なものを1つ選びなさい。

① 決まった就床時刻を守るように勧める。
② 起床時に日光を浴びるように勧める。
③ 寝る前に緑茶を飲むように勧める。
④ 日中、長い昼寝をするように勧める。
⑤ 夕食後 2 時間以内に就寝するように勧める。

■ 移動の介護

移動の介護は食事や入浴、排泄《はいせつ》といった様々な生活行為や福祉用具と関連します。このことを念頭に置きつつ、**歩行介助**（杖歩行、歩行器歩行、シルバーカーの使用）と**車いすでの移動**に分けて学習を進めると理解しやすくなります。歩行介助に関しては、**片麻痺《かたまひ》のある利用者に対する杖歩行介助**や**視覚障害者に対するガイドヘルプ**が出題されやすいため、しっかり確認しておきましょう。例えば、片麻痺のある利用者が行う**3 動作歩行**（基本は杖→患側の足→健側の足）については**平地**、**段差越え**、**階段の上り**、**階段の下り**といった場面ごとに

出題試験		主な問題内容
33 回	問題 41	標準型車いすを用いた移動の介護
34 回	問題 43	視覚障害のある利用者の外出
35 回	問題 82	安定した歩行に関する助言
	問題 83	T 字杖を用いる片麻痺の利用者への介護方法
	問題 117	片麻痺がある利用者の四点杖歩行を見守る時に立つ位置
36 回	問題 85	標準型車いすを用いた移動の介護

問われても、それぞれ正答を導き出せるようにしておく必要があります。車いすでの移動に関しても**平地**、**段差越え**、**上り坂**、**下り坂**といった場面ごとに介護のポイントを整理しておくことが重要です。

でる問42 視覚障害者の外出支援に関する次の記述のうち、適切なものを１つ選びなさい。

① タクシーに乗るときは、支援者が先に乗って誘導する。
② 電車を待つときは、点字ブロックの上で待つように誘導する。
③ 狭い通路は、後ろから誘導する。
④ 雨の日は、フードつきのレインコートの着用を勧める。
⑤ 利用者から一時離れるときは、柱や壁に触れる位置まで誘導する。

■ 体位変換と移乗の介護

出題試験		主な問題内容
33 回	問題 40	仰臥位から側臥位への体位変換
34 回	問題 42	トルクの原理を応用した体位変換
	問題 102	ボディメカニクスの原則
36 回	問題 83	ギャッチベッドの背上げを行う前の介護
	問題 84	端座位から立位への介護

体位変換と移乗の介護は、介護福祉職にとって基本となる生活支援技術の１つであり、国家試験でも出題されることの多い項目です。体位変換に関しては、まず**体位の種類**（仰臥位《ぎょうがい》、側臥位《そくがい》、半《はん》座位《ざい》、起座位《きざい》、端座位《たんざい》等）や**ボディメカニクス**の知識を確認したうえで、**ベッド上での体位変換**の方法について学習していく必要があります。

特に**仰臥位から側臥位への体位変換**は「着脱の介護」とも関連してくるため、しっかりと学習しておきましょう。移乗の介護に関しては実際に演習を行う等、その方法を体全体で覚えることも大切になってきます。なかでも**ベッドから車いすへの移乗**については出題されやすいため、**スライディングボード**を活用した方法も含め、いくつかの方法を確認しておくとよいでしょう。

でる問43 右片麻痺《みぎかたまひ》の利用者を仰臥位《ぎょうがい》から左側臥位《ひだりそくがい》にする場合の体位変換の方法として、最も適切なものを１つ選びなさい。

① 両下肢は伸ばす。
② 両上肢は体幹に沿わせて置く。
③ 左側へ水平に移動する。
④ 枕を左側に寄せる。
⑤ 肩と膝を同時に倒す。

■ 人生の最終段階における介護

出題試験		主な問題内容
33 回	問題 58	アドバンス・ケア・プランニング（ACP）
	問題 59	死期が近づいた時の介護
	問題 60	デスカンファレンス
	問題 86	アルツハイマー型認知症の利用者への施設での看取《みと》り
34 回	問題 58	看取りに必要な情報
	問題 59	終末期の利用者の家族支援
	問題 60	死亡後の介護

人生の最終段階における介護に関する内容は毎年出題されています。「多死社会」にある日本においては、その介護の重要性が高まりつつあり、出題数は増えることがあっても減ることはないと予測できます。ただ、これまでの試験をみると、出題内容が限定的ですので、過去問題を中心に解いて理解を深めるだけでも得点に結びつく可能性

が高まるでしょう。

人生の最終段階における介護に関しては①**多職種連携・協働**で対応する、②様々な**痛みに対して緩和**を図る、③利用者だけでなく**利用者の家族も支援**の対象とする、④**死後も家族に対して支援**を実施していくという4点は最低限覚えておきましょう。また、人生の最終段階における介護では**死亡後の介護**についても確認しておく必要があります。

出題試験		主な問題内容
35回	問題102	終日臥床《がしょう》している利用者への対応
	問題103	看取りにおける家族への支援
36回	問題102	誤嚥《ごえん》性肺炎で終末期が近い利用者への確認事項
	問題103	デスカンファレンスの目的

でる問 44 高齢者施設において介護福祉職が行う死亡後の介護について、最も適切なものを1つ選びなさい。

① 全身清拭《せいしき》には、アルコールに浸した脱脂綿を使用する。
② 口が閉じない場合は、紐で顔を固定する。
③ 衣類は、着衣がしやすい服を選ぶ。　④ ペースメーカーを取り除く。
⑤ 家族に対し、死亡後の介護を一緒に行うように伝える。

領域Ⅱ ⑦介護過程

解答・解説 ☞ P.94

■ 介護過程の概要

介護過程の概要のなかでも、介護過程の意義・目的については、毎年のように出題されています。

ここでは、介護過程の意義や目的、どのような流れで介護過程を展開していくかなど、介護過程の基礎的かつ全体的な内容が出題されることが多くなっています。**アセスメント⇒介護計画の作成⇒介護計画の実施⇒評価**と全体的な流れを理解し、各段階で何が行われるのかを理解していきましょう。

出題試験		主な問題内容
33回	問題61	介護過程の目的
34回	問題61	介護過程を展開する意義
35回	問題106	介護過程を展開する目的

でる問 45 介護過程の目的に関する次の記述のうち、最も適切なものを1つ選びなさい。

① 他職種との役割の分化　② 利用者への自立支援　③ 家族の介護負担の軽減
④ 介護福祉職の介護観の変容　⑤ 利用者の健康状態の改善

■ アセスメント

アセスメントに関する内容は、頻繁に出題されており、「介護過程」の科目において特に重要です。ここでは、アセスメントの内容・方法を理解した

出題試験		主な問題内容
33回	問題62	介護福祉職の情報収集
	問題63	介護過程の展開におけるアセスメント
	問題65	利用者への再アセスメント
	問題68	短期入所生活介護における生活課題

うえで、**アセスメントに必要な能力や視点**についても学習していきましょう。

短文事例形式の問題で出題されることも少なくないので、過去問題だけでなく、予想問題などの様々な問題を繰り返し解いて、経験値をアップさせておくことも重要です。

出題試験		主な問題内容
34回	問題62	情報収集
	問題63	生活課題
	問題66・67	アセスメント
	問題93	エコマップ
35回	問題49・123	ストレングス
	問題109	利用者の行動に対する解釈
	問題111	個別支援計画の立案
36回	問題106	情報収集
	問題109	利用者の行動を解釈するために必要な情報
	問題111	利用者の言動を解釈する視点

でる問46 利用者のアセスメント（assessment）に関する次の記述のうち、最も適切なものを１つ選びなさい。

① 利用者本人の希望に沿った情報を収集する。
② 家族のニーズを優先させながら情報を収集する。
③ 介護福祉の知識を活用して情報を解釈する。
④ 生活課題を明確にした後で情報を関連づける。
⑤ 利用者の情報を整理した後で要望を聞く。

■ 介護計画の作成

介護計画に関する内容は、毎年出題されています。**記載事項や記述の仕方を中心に学習**しておきましょう。特に**目標**については、①**利用者の生活課題に沿ったもの**であること、②**長期目標と短期目標を設定する**こと、③**長期目標と短期目標の双方が連動した内容**になっていること、④**実現可能な内容**であることを理解しておきましょう。

出題試験		主な問題内容
33回	問題64	短期目標の設定
34回	問題64	長期目標と短期目標の設定
	問題65	介護内容・方法・注意点の記載
	問題114	訪問介護計画書の短期目標
	問題124	短期目標
35回	問題119	介護計画の見直し
36回	問題110・112	支援内容の見直し

でる問47 介護過程における目標の設定に関する次の記述のうち、適切なものを１つ選びなさい。

① 長期目標は、短期目標ごとに設定する。
② 長期目標の期間は、１か月程度に設定する。
③ 短期目標は、抽象的な内容で表現する。
④ 短期目標は、長期目標の達成につながるように設定する。
⑤ 短期目標は、生活全般の課題が解決した状態を表現する。

■ 介護計画の実施と評価

出題試験		主な問題内容
35回	問題107	介護過程を展開した結果の評価
	問題110	短期目標と支援内容を見直すカンファレンス
36回	問題107	介護過程の評価

介護計画の実施と評価に関する内容は、アセスメントや介護計画の作成と記録に比べると重要度は低いものの、1～2問出題される場合があります。

介護計画の実施においては、**利用者・家族への丁寧な説明**や**利用者の反応の把握**など、実施上の留意点をおさえておきましょう。評価では、**介護計画の内容に沿って支援が実施できているか、利用者に心身状態の変化がないか、介護計画を変更する必要があるか、目標がどの程度達成できているか**を確認する段階であることを理解し、その点を踏まえて問題を解いていきましょう。

でる問 48 介護過程の評価に関する次の記述のうち、最も適切なものを1つ選びなさい。

① 介護計画の内容に対する介護福祉職の満足度を評価する。
② 支援の実施状況に関する情報を整理して、評価する。
③ 複数ある短期目標は集約して評価する。
④ 実施後に評価基準を定めて評価する。
⑤ 家族が多角的な視点から評価する。

■ チームアプローチと多職種連携

出題試験		主な問題内容
34回	問題68	カンファレンスで提案する内容
35回	問題72	介護の現場におけるチームアプローチ
36回	問題108	介護老人保健施設での多職種連携

チームアプローチと多職種連携に関する内容は、毎年のように出題されています。

この項目は、「介護の基本」の**他職種の役割と連携**と関連が深いので、両方の内容を並行して学習していくと、効率的に理解することができるでしょう。なお、介護福祉士養成カリキュラムの改正に伴い、多職種連携の重要性がさらに強調されてきています。

でる問 49 チームアプローチ（team approach）に関する次の記述のうち、適切なものを1つ選びなさい。

① 他のチームメンバーの役割は、知らなくてよい。
② 医療職は、チームアプローチ（team approach）を主導する。
③ チームメンバーの人数は、決まっている。
④ 利用者は、チームアプローチ（team approach）の中心である。
⑤ ボランティアは、チームメンバーにはなれない。

領域Ⅲ ⑧こころとからだのしくみ …………………… 解答・解説 ☞ P.95

■ 記憶・欲求・思考

記憶・欲求・思考に関する内容は、ほぼ毎年1問以上出題されています。特に**記憶の種類や特徴**、**マズローの欲求階層説**に関する内容の出題頻度が高くなっていますので、それらについてはしっかりと学習しておく必要があります。

出題試験		主な問題内容
33回	問題73	意欲低下した高齢者の動機づけ
	問題97	心的外傷後ストレス障害（PTSD）
34回	問題72	適応（防衛）機制
	問題73	エピソード記憶、意味記憶
35回	問題35	意味記憶
	問題48	手続き記憶
	問題52	上田敏《さとし》の障害受容モデル
36回	問題19	マズローの欲求階層説
	問題51	障害を受容した心理的段階

でる問50 記憶に関する次の記述のうち、正しいものを1つ選びなさい。

① 短期記憶では、膨大な情報の貯蔵が可能である。
② 記憶には、記銘と保持と想起《そうき》の３つの過程がある。
③ 手続き記憶とは、自分に起こった出来事に関する記憶である。
④ エピソード記憶とは、一般的な知識についての記憶である。
⑤ 記憶の処理は、中脳で行われる。

■ 人体構造・機能

人体構造・機能に関する内容は、毎年出題されています。具体的には、脳、目、耳、骨、心臓、胃、肝臓など、とてもボリュームが多く、覚えなければならない用語も多いので、かなり多くの学習時間を費やさなければなりません。そのため、これまで出題されたことのある**脳、目、耳、心臓（血液の流れを含む）の4点**に的を絞って学習しましょう。仮にほかの内容が出題された場合には、諦めて勘で答えるというスタンスをとっても問題ないでしょう。

出題試験		主な問題内容
34回	問題98	睡眠中の体温上昇の原因
	問題100	言葉の発音が不明瞭になる原因
	問題101	骨
	問題104	糖尿病で高血糖時にみられる症状
	問題111	呼吸器官の換気とガス交換
35回	問題20	大脳の後頭葉にある機能局在
	問題21	抗重力筋《こうじゅうりょくきん》
	問題60	成人の正常な呼吸状態
	問題114	海馬《かいば》の位置
36回	問題20	交感神経の作用
	問題22	中耳にある耳小骨《じしょうこつ》
	問題23	成人の爪
	問題60	呼吸器官の部位とその説明

でる問 51 眼の症状とそれに関連が強い疾患の組合せとして、最も適切なものを1つ選びなさい。

① 眼球が痛くなる —— 加齢黄斑《おうはん》変性症（age-related macular degeneration）
② 近いところが見えにくい —— 緑内障（glaucoma）
③ 結膜が充血する —— 流行性角結膜炎（epidemic keratoconjunctivitis）
④ 硝子体が白くなる —— 白内障（cataract）
⑤ 目やにが増える —— 糖尿病性網膜《もうまく》症（diabetic retinopathy）

■ 廃用症候群（生活不活発病）

出題試験		主な問題内容
33 回	問題 100	安静臥床《がしょう》で低下する筋力の割合
35 回	問題 22	廃用症候群で起こる可能性がある症状
	問題 23	褥瘡の好発部位

廃用症候群（生活不活発病）に関する内容も、出題されやすいテーマです。

ここでは、**褥瘡《じょくそう》の予防方法**、**褥瘡の好発部位**、**褥瘡発見時の対応**など、褥瘡を中心に学習していきましょう。「生活支援技術」や「発達と老化の理解」などの科目でも出題される可能性があります。

でる問 52 廃用症候群（disuse syndrome）で起こる可能性のある病態とその対策の組合せとして、最も適切なものを1つ選びなさい。

① 筋萎縮《いしゅく》 —— 日光浴
② 関節拘縮 —— 運動制限
③ 深部静脈血栓症（deep vein thrombosis）—— 離床
④ 褥瘡《じょくそう》 —— 安静
⑤ せん妄（delirium）—— 入院

■ 食事のしくみ

出題試験		主な問題内容
33 回	問題 102	摂食・嚥下のプロセス
35 回	問題 93	胃・結腸反射
36 回	問題 24	誤嚥《ごえん》が生じる部位
	問題 25	窒息

食事のしくみは「食生活と栄養・調理」「食事の介護」と関連が強いため、それらとセットで学習する必要があります。特に**摂食・嚥下《えんげ》のプロセス（先行期→準備期→口腔《こうくう》期→咽頭《いんとう》期→食道期）**は出題されやすいため、順番と流れをイメージしながら、それぞれの段階について覚えておくようにしましょう。また、高血圧や心疾患に対する**塩分制限**、腎臓機能障害に対する**低たんぱく食**、低アルブミン血症に対する**高たんぱく食**といった**食事療法**に加え、**誤嚥《ごえん》性肺炎**、**脱水時の症状**も重要となってきます。それらを学習する際は、**医療職との連携**についても確認しておくとよいでしょう。

でる問 53 Fさんは、普段の食事は自立しているものの、日常生活では眼鏡がないと不自由である。ある日、いつもより食事に時間がかかっていた。介護福祉職が確認したところ、Fさんは「眼鏡が壊れて使えなくなってしまった」と答えた。食事をとるプロセスで、Fさんが最も影響を受ける段階として、正しいものを1つ選びなさい。

① 先行期　② 準備期　③ 口腔《こうくう》期　④ 咽頭《いんとう》期　⑤ 食道期

■ 排泄《はいせつ》のしくみ

出題試験		主な問題内容
33 回	問題 104	尿失禁の種類
	問題 105	便秘の原因
34 回	問題 106	ブリストル便性状スケール
35 回	問題 27	健康な成人の便の生成過程
36 回	問題 27	女性に尿路感染症が起こりやすい要因

排泄のしくみに関しては、**排尿**と**排便**に分けて考えると理解しやすくなります。排尿では**尿の回数・量・性状**や**排尿のしくみ**を理解したうえで、**尿失禁（腹圧性尿失禁、切迫《せっぱく》性尿失禁、溢流《いつりゅう》性尿失禁、反射性尿失禁、機能性尿失禁）**や**頻尿、尿路感染症、膀胱《ぼうこう》炎**を中心に学習していきましょう。一方、排便では**便の回数・量・性状**や**排便のしくみ**をおさえたうえで、**便秘（弛緩《しかん》性便秘、直腸性便秘、痙攣《けいれん》性便秘）**や**下痢、便失禁**を中心に学習を進めていきます。いずれにしても、ここでの内容は「排泄の介護」と関連が強いため、両者をセットで学習することで理解の促進を図ることが期待できます。

でる問 54　Dさん（80歳、男性）は、アルツハイマー型認知症（dementia of the Alzheimer's type）と診断され、半年前から認知症対応型共同生活介護（グループホーム）に入居している。最近、Dさんは「トイレに行きたい」と言ってグループホーム内を歩き回った後に失禁するようになった。Dさんの排泄《はいせつ》の状態として、最も適切なものを1つ選びなさい。

① 機能性尿失禁　② 腹圧性尿失禁　③ 心因性頻尿
④ 反射性尿失禁　⑤ 溢流《いつりゅう》性尿失禁

■ 入浴のしくみ

出題試験		主な問題内容
33 回	問題 103	入浴（中温浴：38 ～ 41℃）の効果
34 回	問題 105	長時間の入浴でふらついた原因
36 回	問題 26	入浴の作用

入浴のしくみは、「入浴の介護」や「清潔保持の介護」と関連が強く、その内容は重要ですので、必ず確認しておきましょう。

ここで必ず覚えてほしいことは、**入浴による作用**と**高温の湯が与える身体への影響**の2点です。

学習する際は「生活支援技術」における入浴の介護と連動させると効率的です。例えば、入浴の作用⇒入浴（高温の湯）が与える人体の影響⇒入浴の支援方法の順序で学習を進めていくとよいでしょう。

でる問 55　38 ～ 39℃の湯温での入浴が身体に与える影響として、適切なものを1つ選びなさい。

① 血圧の上昇
② 心拍数の増加
③ 膀胱《ぼうこう》の弛緩《しかん》
④ 消化機能の亢進《こうしん》
⑤ 筋緊張の亢進

睡眠のしくみ

出題試験		主な問題内容
33 回	問題 106	高齢者の睡眠の特徴
	問題 107	レム睡眠とノンレム睡眠
34 回	問題 75	高齢者の睡眠
	問題 107	熟睡できない利用者の改善点
35 回	問題 28	高齢者の睡眠薬の使用
36 回	問題 28	眠りが浅くなる原因
	問題 29	概日リズム睡眠障害

睡眠のしくみに関する内容は、毎年出題されています。

ここでは、まず**レム睡眠**と**ノンレム睡眠**の**特徴**をしっかりと理解したうえで、**不眠の原因**や**睡眠障害の種類**と**その特徴**をおさえておくことが重要です。

学習する際は「生活支援技術」における休息・睡眠の介護と連動させると効率的です。例えば、睡眠のしくみ⇒不眠の原因・睡眠障害⇒安眠に向けた支援の順序で進めていくとよいでしょう。

でる問 56 高齢者の睡眠の特徴に関する次の記述のうち、適切なものを１つ選びなさい。

① 夜間の睡眠時間が増加する。
② 深睡眠が増加する。
③ 睡眠周期が不規則になる。
④ 入眠までの時間が短縮する。
⑤ 熟睡感が増加する。

終末期・死亡時の身体変化と死のとらえ方

出題試験		主な問題内容
33 回	問題 108	死斑《しはん》が出現し始める時間
34 回	問題 108	尊厳死
35 回	問題 29	グリーフ
	問題 30	死が近づいているときの身体変化
	問題 34	死別へのコーピングに関する二重過程モデル

「人生の最終段階における介護」と並び、終末期・死亡時の身体変化と死のとらえ方に関する内容も毎年出題されています。学習する際は**終末期・死亡時の身体変化**、**死の定義**、**死の三徴候（心停止、呼吸停止、瞳孔散大）**、**死亡診断書**、**リビングウィル**、**キューブラー・ロスによる死の受容過程**を中心に理解を深めていく必要があります。特に**下顎《かがく》呼吸**、**肩呼吸**、**チェーンストークス呼吸**といった死の直前にみられる呼吸については、しっかりと確認しておきましょう。

でる問 57 臨終期の身体の様子に関する記述として、適切なものを１つ選びなさい。

① 浮腫《ふしゅ》の出現は少ない。
② 呼吸のリズムは規則的である。
③ 喉《のど》からゴロゴロする音が聞かれる。
④ 尿量は増加する。
⑤ 手足は温かい。

領域Ⅲ ⑨発達と老化の理解

解答・解説 ☞ P.97

■ 発達段階と発達課題

出題試験		主な問題内容
34回	問題69	ストレンジ・シチュエーション法
	問題70	乳幼児期の言語発達
35回	問題19	ライチャードによる性格類型
	問題31	社会的参照
	問題32	コールバーグによる道徳性判断
	問題33	子どもの体重
36回	問題31	スキャモンの発達曲線

発達段階と発達課題に関する内容は、出題頻度が高く、今後も出題される可能性があります。

ここでは、**ハヴィガースト**、**エリクソン**、**ピアジェ**、**フロイト**、**ライチャード**などによる様々な理論があるうえに、それぞれに発達段階や発達課題などが設けられており、学習にはかなり苦労することでしょう。まずは、上記の５人の発達理論について、**発達段階はいくつに区分されているか、どのような発達課題が設けられているか**という点を中心におさえておくことが必要です。

でる問 58 ライチャード（Reichard, S.）による老年期の性格類型において、円熟型に該当するものとして、適切なものを１つ選びなさい。

① 他者の援助に依存する。
② 年をとることをありのまま受け入れていく。
③ 責任から解放されることを好む。
④ 自分の過去に対して自責の念を抱く。
⑤ 若いときの積極的な活動を維持する。

■ 加齢に伴う変化と高齢期の課題

出題試験		主な問題内容
33回	問題71	高齢期の喪失体験と悲嘆
	問題72	加齢による味覚の変化
34回	問題74	感覚機能・認知機能の変化
	問題99	視覚機能の変化
35回	問題36	高齢期の腎・泌尿器系の変化
36回	問題33	生理的老化
	問題34	エイジズム
	問題36	健康寿命

加齢に伴う変化と高齢期の課題に関する内容は、近年では１回の試験で複数の問題が出されています。

出題内容の多くは、老化によって各器官や機能がどのように変化するのかを問うものになっています。心身機能の加齢変化は、基本的に状態が悪くなるととらえ、**「低下」や「減少」などの表現を用いているものが正解になる可能性が高い**と考えましょう。まずは過去問題をピックアップして、その内容をしっかりと理解することが大切です。

でる問 59 加齢に伴う身体機能の変化として、適切なものを１つ選びなさい。

① 周辺視野が広くなる。
② 低周波の音から聞こえにくくなる。
③ 味覚の感受性が低下する。
④ 振動に敏感になる。
⑤ 嗅覚《きゅうかく》が敏感になる。

高齢期に多くみられる疾患・症状

高齢期に多くみられる疾患・症状に関する内容は、毎年複数の問題が出されています。

ここでは、加齢に伴って生じやすい疾患にはどのようなものがあるのか、どのような症状が現れるかを確認しましょう。さらに、一般的な高齢者の疾患の特徴として、**「個人差が大きい」「合併症が現れやすい」「非定型的・非特異的な初発症状が現れやすい」**という3点は必ず覚えるようにしましょう。

出題試験		主な問題内容
33回	問題74	高齢者の便秘
	問題75	高齢者の転倒
	問題76	高齢者の糖尿病
34回	問題76	高齢者の肺炎
35回	問題37	変形性膝《しつ》関節症
	問題38	高齢者の脱水
36回	問題21	骨粗鬆《こつそしょう》症とその予防
	問題35	心筋梗塞とその症状
	問題37	前立腺《ぜんりつせん》肥大症
	問題38	高齢期に多い筋骨格系の疾患

でる問60 次のうち、高齢期に多い筋骨格系の疾患に関する記述として、適切なものを1つ選びなさい。

① 腰部脊柱管狭窄《ようぶせきちゅうかんきょうさく》症（lumbar spinal canal stenosis）では、下肢のしびれがみられる。
② サルコペニア（sarcopenia）とは、骨量の低下を指す。
③ 関節リウマチ（rheumatoid arthritis）は、軟骨の老化によって起こる。
④ 変形性膝《しつ》関節症（knee osteoarthritis）は、X脚に変形する。
⑤ 骨粗鬆《こつそしょう》症（osteoporosis）は、男性に多い。

領域Ⅲ ⑩認知症の理解

解答・解説 ☞ P.97

認知症の概要

認知症の概要に関する内容は、毎年出題され、この科目の中で重要な基本項目といえます。出題内容の多くは、認知症の中核症状とBPSD（行動・心理症状）の種類の確認となっていますので、まずは、**認知症の中核症状とBPSD（行動・心理症状）の種類を暗記**し、過去問題や予想模試などで出題されている問題を、100％正解できるまで繰り返し解きましょう。さらに**認知症**、**せん妄**、**うつ病の相違点**についても学習しておく必要があります。

出題試験		主な問題内容
33回	問題77	うつ病による仮性認知症
	問題78	認知症の原因疾患別の患者数
34回	問題79	軽度認知障害（MCI）
	問題80	若年性認知症
	問題81	BPSD
35回	問題39	認知症施策推進大綱《たいこう》の5つの柱
	問題40	見当識障害
36回	問題39	運転免許更新時の認知機能検査
	問題40	アパシー
	問題41	せん妄
	問題43	若年性認知症
	問題45	相貌《そうぼう》失認

でる問 61 認知症の行動・心理症状（BPSD）に関する次の記述のうち、最も適切なものを１つ選びなさい。

① 物盗《と》られ妄想では、現実に存在しない人が犯人とされる。
② 幻視の内容は曖昧《あいまい》ではっきりしない。
③ 昼夜逆転が生じる。
④ アパシーとは、気持ちが落ち込むことである。
⑤ BPSD に対する向精神薬の副作用により歩幅が広くなる。

認知症の原因疾患とその症状

認知症の原因疾患と症状に関する内容は、毎年のように出題されており、近年では出題数が増加傾向を示しています。**アルツハイマー型認知症、血管性認知症、レビー小体型認知症、前頭側頭型認知症（ピック病）**など、代表的な認知症の原因疾患について、**原因、症状、発症傾向などの特徴**をしっかりと整理しましょう。

出題試験		主な問題内容
33回	問題 81	クロイツフェルト・ヤコブ病
	問題 82	レビー小体型認知症
	問題 84	慢性硬膜《こうまく》下《か》血腫《けっしゅ》の診断に有用な検査
	問題 85	認知症に伴う注意障害
34回	問題 78	レビー小体型認知症の幻視の特徴
	問題 97	物盗《と》られ妄想
	問題 115	遂行《すいこう》機能障害
35回	問題 41	物盗られ妄想
	問題 42	慢性硬膜《こうまく》下《か》血腫《けっしゅ》
36回	問題 42	歩行障害
	問題 44	嫉妬妄想
	問題 114	前頭側頭型認知症による脱抑制

でる問 62 認知症（dementia）の原因となる疾患の特徴として、最も適切なものを１つ選びなさい。

① アルツハイマー型認知症（dementia of the Alzheimer's type）では、早期から尿失禁が認められる。
② アルツハイマー型認知症（dementia of the Alzheimer's type）では、巣症状はみられない。
③ レビー小体型認知症（dementia with Lewy bodies）では、人格が大きく変化する。
④ レビー小体型認知症（dementia with Lewy bodies）では、運動機能障害はみられない。
⑤ クロイツフェルト・ヤコブ病（Creutzfeldt-Jakob disease）では、進行が速く、１年以内の死亡例も多い。

認知症の利用者とその家族への支援

認知症の利用者とその家族への支援に関する内容は、「認知症の理解」だけでなく「総合問題」などで事例形式として出題されることもあります。

出題試験		主な問題内容
33回	問題 83	アルツハイマー型認知症家族への対応
34回	問題 53	認知症の利用者への対応
	問題 77	ひもときシート

認知症の利用者でも、利用者本位や非審判的態度、受容など、利用者に対する基本的な対応は同じです。ただし、認知症の利用者の場合には、適応能力が低下しているので、**新しい環境や事柄に不安や恐怖を抱きやすい**という点を理解しておきましょう。

また、家族や近隣住民への支援についても出題されます。法制度の活用や介護福祉職の対応等、家族支援に関連する過去問題や予想模試を整理・学習しておくとよいでしょう。

出題試験		主な問題内容
34 回	問題 82	リアリティ・オリエンテーション
	問題 84	物盗《と》られ妄想のある利用者の夫への助言
	問題 85	認知症に配慮した生活環境
35 回	問題 44	ユマニチュード
	問題 116	認知症利用者の薬の飲み忘れ防止策
36 回	問題 46	バリデーション

でる問 63 認知症ケアの技法であるユマニチュードに関する次の記述のうち、正しいものを１つ選びなさい。

① 「話す」とは、意識的に高いトーンの大きな声で話しかけることである。
② 「オートフィードバック」とは、ケアを評価することである。
③ 「触れる」とは、指先で軽く触れることである。
④ 「見る」とは、離れた位置からさりげなく見守ることである。
⑤ 「立つ」とは、立位をとる機会をつくることである。

■ 認知症関連のサービス等

出題試験		主な問題内容
33 回	問題 80	認知症初期集中支援チーム
34 回	問題 86	認知症初期集中支援チーム
35 回	問題 45	認知症サポーター
	問題 46	認知症ケアパス
	問題 47	認知症ライフサポートモデル

認知症対象サービスに関する内容は、ほぼ毎年出題されています。認知症がある人に限定した介護保険サービスには、**認知症対応型通所介護**や**認知症対応型共同生活介護**(認知症グループホーム)などがあるので、まずはこれらのサービスから着手するとよいでしょう。

また、**小規模多機能型居宅介護**や**日常生活自立支援事業**なども出題頻度が高いため、それらを含めてしっかりと学習しておきましょう。

でる問 64 介護保険法における認知症対応型共同生活介護（認知症グループホーム）に関する次の記述のうち、適切なものを１つ選びなさい。

① 地域住民と関わる機会は少ない。
② 家庭的な雰囲気によって、症状の安定が図られる。
③ １ユニットの入所者は 10 名までである。
④ 機能訓練は行わない。
⑤ 施設が決めた一律の日課によって、生活の維持が図られる。

領域Ⅲ ⑪障害の理解

解答・解説 ☞ P.98

■ 運動機能障害の理解

運動機能障害の理解に関する内容は、毎年出題されており、特に片麻痺《かたまひ》やパーキンソン病のある人に関する内容が多く出題されています。さらに「総合問題」などで事例形式としてもよく出題されています。また、過去にはビジュアル問題として短下肢装具や自助具が図示されるなど、今後もビジュアル問題が出題される可能性があります。

いずれにしても、運動機能障害のある人の各**生活場面（移動や食事、排泄《はいせつ》、入浴など）**で、**どのような支援が必要かという視点**をもって解いていきましょう。

出題試験		主な問題内容
33 回	問題 90	対麻痺で発生しやすい褥瘡《じょくそう》部位
	問題 91	脊髄《せきずい》の完全損傷でプッシュアップ可能な最上位のレベル
	問題 92	筋ジストロフィー
34 回	問題 90	筋萎縮性側索硬化症（ALS）
	問題 91	頸髄《けいずい》損傷による四肢麻痺
	問題 92	パーキンソン病の症状
	問題 120	球《きゅう》麻痺
	問題 123	脳性麻痺の特徴
35 回	問題 53	四肢麻痺を伴う疾患や外傷
	問題 55	脊髄小脳変性症
	問題 99	関節リウマチのある人の家事
36 回	問題 54	筋萎縮《いしゅく》性側索《そくさく》硬化症（ALS）
	問題 119	第 4 胸髄節《きょうずいせつ》まで機能が残存している脊髄《せきずい》損傷
	問題 120	頸椎《けいつい》症性脊髄《せきずい》症

でる問 65 筋萎縮《いしゅく》性側索《そくさく》硬化症（amyotrophic lateral sclerosis：ALS）に関する次の記述のうち、最も適切なものを 1 つ選びなさい。

① 運動失調が現れる。
② 全身の臓器に炎症を起こす。
③ 自己免疫疾患である。
④ 視力や聴力は保たれる。
⑤ 振戦《しんせん》や筋固縮が主な症状である。

■ 内部障害の理解

出題試験		主な問題内容
33 回	問題 94	心臓機能障害

内部障害の理解に関する内容は、毎年ではないものの出題される可能性があります。内部障害の種類と日常生活上の問題点を理解し、各内部障害に対してどのような**医学的な管理**が行われているかを中心に学習を進めていく必要があります。その際は、カテーテルやペースメーカー、酸素濃縮器などの**医療機器の特徴**も理解するようにしましょう。

でる問 66 呼吸機能障害のある人が日常生活で工夫すべきこととして、適切なものを 1 つ選びなさい。

① かぶり式の上着を着る。
② 湯船には肩までつかる。
③ 食事の回数を減らす。
④ 洋式便器を使用する。
⑤ すばやく歩く。

■ 視覚障害の理解

出題試験		主な問題内容
35 回	問題 121	左同名半盲《どうめいはんもう》のある利用者への食事支援
36 回	問題 53	糖尿病性網膜《もうまく》症による視覚障害と末梢《まっしょう》神経障害

視覚障害の理解に関する内容は、「生活支援技術」などの他の科目でも出題されることがあります。

ここでは、視覚障害の**原因疾患**、**視野・視力障害の種類**、視覚障害者が**日常生活で抱える問題**や**外出支援**、**先天性視覚障害と中途視覚障害の相違点**などを中心に理解を深めていきましょう。

でる問 67 視覚障害者の心理と対応に関する次の記述のうち、最も適切なものを１つ選びなさい。

① 中途失明者は、残存感覚に対する自信を失う。
② 援助者が安全を確認した上で誘導する場合には、多少強引に手を引いてもよい。
③ 高齢期に失明しても、大半の人は訓練で単独行動ができるようになる。
④ 視覚障害者は音声言語が使えるので、相手との会話には不自由しない。
⑤ 視覚障害者が援助者との会話中に録音を希望するのは、信頼関係ができていないためである。

■ 精神障害の理解

出題試験		主な問題内容
35 回	問題 56	統合失調症の利用者への就労支援
36 回	問題 52	統合失調症の症状

精神障害に関する内容は、「障害の理解」に加え、「総合問題」でも出題されることがあります。

精神障害は種類が多く、すべての精神障害を学習しようとすると膨大な時間を費やさなければなりません。そのため、**うつ病**、**統合失調症**、**双極性感情障害**など、過去に出題されたことのある精神障害に的を絞って、**その特徴**、**日常生活上の支援方法**、**接し方**を中心に学習していきましょう。

でる問 68 統合失調症（schizophrenia）の陰性症状に関する次の記述のうち、正しいものを１つ選びなさい。

① 感情の動きが乏しくなる。
② 誰かに支配されているような感覚を抱く。
③ あるはずのない声が聞こえる。
④ 危険な状態にあると思い込み、強い不安や敵意を抱く。
⑤ 話の内容が次々に変わり、まとまりがない。

■ 知的障害の理解

出題試験		主な問題内容
34 回	問題 89	意思決定支援

知的障害の理解に関する内容は、ほぼ毎年出題されており、これまでの傾向を踏まえると、**知的障害児・者（家族介護者を含む）への支援方法**と**ダウン症候群に関する内容**の出題が多くなっています。

そこで、まずはこの２点について理解を深めるため、過去問題と予想問題で掲載されている問題を繰り返し解いてどのような内容が出題されているかを確認し、その内容を覚えていくようにしましょう。

でる問 69 ダウン症候群（Down's syndrome）の症状として、最も頻度の高いものを1つ選びなさい。

① 難聴　② 筋緊張の亢進《こうしん》　③ 高次脳機能障害（higher brain dysfunction）
④ 片麻痺《かたまひ》　⑤ 腎障害

■ 高次脳機能障害の理解

出題試験		主な問題内容
34回	問題 88	半側空間無視
35回	問題 120	着衣失行

高次脳機能障害に関する内容は、毎年ではないものの、出題される可能性が高いです。これまで出題された内容は、**高次脳機能障害の症状**が中心となっていますので、**遂行《すいこう》機能障害**、**記憶障害**、**注意障害**、**社会的行動障害などの特徴**をしっかりとおさえておく必要があります。今後も、これらの内容が出題されることが予想できますので、過去問題や予想問題を解いて重要事項についてはしっかりと理解しておくようにしましょう。

でる問 70 高次脳機能障害（higher brain dysfunction）の主な症状の1つである社会的行動障害に関する次の記述のうち、適切なものを1つ選びなさい。

① 自分で計画を立てて物事を実行することができない。
② 2つのことを同時にしようとして混乱する。　③ 新しいことを覚えられなくて何度も人に聞く。
④ 些細《ささい》なことで感情を爆発させる。　⑤ 人に指示をしてもらわないと動けない。

■ 発達障害の理解

出題試験		主な問題内容
33回	問題 69	学習障害
	問題 95	発達障害児の母親への支援
35回	問題 54	学習障害
36回	問題 32	広汎性発達障害のある子ども
	問題 123	強度行動障害

発達障害の理解に関する内容は、ほぼ毎年出題されています。特に**自閉症スペクトラム障害**や**注意欠陥多動性障害（ADHD）**、**学習障害（LD）**は出題されやすいため、しっかりとおさえておきましょう。自閉症スペクトラム障害の特徴（**社会的なコミュニケーションの困難さ**、こだわり等の**限定・反復された行動**）、注意欠陥多動性障害（ADHD）の特徴（**不注意・多動・衝動性**）、学習障害（LD）の特徴（読み書きや計算等、**特定のものの習得が極端に苦手**である）等と違いも含めて、しっかりと理解しておくことが重要です。

でる問 71 自閉症スペクトラム障害（autism spectrum disorder）のある人への対応として、最も適切なものを1つ選びなさい。

① こだわり行動に対しては、介入しない。
② 不適切な行動をとっているときは、強く制止する。
③ 予定の変更があるときは、メモや絵を使って、予告する。
④ 情報を伝えるときには、一度に多くの情報を提供する。
⑤ パニックを引き起こす事柄を克服できるような訓練をする。

領域Ⅳ ⑫医療的ケア

解答・解説 ☞ P.99

■ 医行為に関する法制度

出題試験		主な問題内容
34 回	問題 109	介護福祉士が実施できる経管栄養

法制度といっても、医師法や社会福祉士及び介護福祉士法の細部まで覚える必要はありません。医療的ケアに関連する内容に的を**絞って学習**すればよいでしょう。**医行為の定義**や**相対的医行為と絶対的医行為の違い**、**医療的ケアの定義**と**内容・範囲**はしっかりと理解しておきましょう。

でる問 72 医行為をめぐる法制度に関する次の記述のうち、適切なものを１つ選びなさい。

① 医師の指示の有無にかかわらず、一定の要件を満たした介護福祉士であれば、喀痰《かくたん》吸引と経管栄養を実施できる。
② 介護福祉士が行う口腔《こうくう》内の喀痰吸引の範囲は咽頭《いんとう》までを限度とする。
③ 医療的ケアは、自宅では実施することができない。
④ 医行為とは、医師の医学的判断および技術をもってするのでなければ人体に危害を及ぼし、または危害を及ぼすおそれのある行為である。
⑤ 相対的医行為とは、医師または看護師が自ら行わなければならない行為のことである。

■ 喀痰《かくたん》吸引

出題試験		主な問題内容
33 回	問題 111	口腔《こうくう》内と気管カニューレ内部の吸引
34 回	問題 110	気管カニューレ内部の喀痰吸引
35 回	問題 61	喀痰吸引を行う前の準備
36 回	問題 61	喀痰吸引を行う前の準備

「医療的ケア」の科目では、喀痰吸引は経管栄養とともに**非常に重要**であり、**毎年出題されています**。覚えなければならない内容が多いため、早い段階からコツコツと学習を積み重ねておく必要があるでしょう。

例えば、**喀痰吸引の内容**はもちろん、**吸引を行う前の観察事項**や吸引の**実施方法と留意点**、**吸引により生じる危険性**についてもしっかりと学習しておくとよいでしょう。

でる問 73 喀痰《かくたん》吸引を行う前の観察に関する次の記述のうち、最も適切なものを１つ選びなさい。

① 痰《たん》のゴロゴロという音が聞こえても、決められた時間以外は吸引してはならない。
② 鼻腔《びくう》内吸引の場合、鼻腔内だけでなく口腔《こうくう》内の状態やむせ込みの有無等も観察する。
③ 口腔内吸引の場合、口腔内のみを観察すればよい。
④ 喀痰吸引を実施するかしないかの最終的な判断は看護師が行う。
⑤ 実施日の朝に看護師が観察していれば、喀痰吸引を行う直前の観察は省くことができる。

■ 人工呼吸器と吸引等

出題試験		主な問題内容
34回	問題111	呼吸器官の換気とガス交換

人工呼吸器と吸引等に関する内容は、基本的な事項を覚えれば十分でしょう。パルスオキシメーター（経皮酸素飽和度モニター）の特徴や**侵襲的《しんしゅうてき》人工呼吸療法と非侵襲的《ひしんしゅうてき》人工呼吸療法の違い**、吸引チューブを保管する際に行う**浸漬《しんし》法と乾燥法の違い**は、ガス交換等の呼吸のしくみともあわせてしっかりと学習しておきましょう。

でる問 74 人工呼吸器と吸引に関する次の記述のうち、適切なものを１つ選びなさい。

① 人工呼吸器は、停電が起きても停止することはない。
② 非侵襲的《ひしんしゅうてき》人工呼吸療法は、気管切開により気管カニューレを挿入して酸素を送り込むことをいう。
③ 人工呼吸器のアラームが鳴った場合、他の利用者の迷惑になるため、すぐに消音ボタンを押す。
④ 人工呼吸器を使用している利用者の呼吸状態は観察しなくてもよい。
⑤ 喀痰《かくたん》の排出を促すためには、適切な加湿を行う必要がある。

■ 経管栄養

出題試験		主な問題内容
33回	問題109	経管栄養の注入量を指示する者
	問題112	自宅で経管栄養を導入した利用者への対応
	問題113	経管栄養の実施
34回	問題112	半固形タイプの栄養剤
	問題113	経管栄養チューブへの白湯《さゆ》の注入
35回	問題62	胃ろうによる経管栄養での生活上の留意点
36回	問題62	経管栄養で起こるトラブル

経管栄養は、喀痰《かくたん》吸引とともに「医療的ケア」の科目において**中核をなす内容**であり、**毎年出題されています**。専門用語も多くありますが、まずは**経管栄養のしくみとその種類**を覚えることが基本です。そのうえで経管栄養剤や経管栄養の実施で**起こりうる身体の異常**について、しっかりと学習しておくことが大切になるでしょう。その際は、経管栄養剤の**濃度や温度、注入量・速度の違いによって生じる身体への影響**についても確認しておく必要があります。

でる問 75 経鼻経管栄養を行っている利用者に対して、栄養剤を流す前に経鼻経管栄養チューブの確認をすると、固定テープがはずれて、鼻腔《びくう》の入口付近でチューブが10cm抜けていた。このときの介護福祉士の対応として、適切なものを１つ選びなさい。

① 抜けた部分を元に戻す。
② チューブを鼻から抜く。
③ 胃内に挿入されているかどうかを、気泡音で確認する。
④ そのまま注入を開始する。
⑤ 注入は行わずに、看護職に状況を報告する。

でる問 解答と解説

①人間の尊厳と自立

でる問1　正解⑤　☞ 問題 P.46

①×　ノーマライゼーションには障害のある人を変えるのではなく、周囲の生活環境を改善し、障害があるままでも他の人と同じ普通の生活を送れるようにするという意味がある。「夕食は施設の時間に合わせてもらう」という対応は、A さんのこれまでの生活習慣を変えさせてしまう。

②×　左《ひだり》片《かた》麻《ま》痺《ひ》になったからといって、「長い髪のカット」という、以前の習慣を変えるような支援は適切でない。

③×　「居室での生活を中心」とすることは、他の利用者との関わりの減少や活動範囲の縮小等、本来の A さんらしい生活とはかけ離れたものとなってしまう。

④×　A さんは車いすの使用を希望していない。また、ふらつきがあるものの、歩行能力が残っている。よって、車いすの使用は不適切である。

⑤○　ノーマライゼーションでは障害のある人も尊厳をもって普通の生活を送ることを目指す。よって、「おしゃれをして、施設の俳句クラブに参加する」等、可能な限り以前のような生活が送れるよう支援していく必要がある。

でる問2　正解①　☞ 問題 P.46

①○　社会福祉士及び介護福祉士法第 44 条の 2 に「社会福祉士及び介護福祉士は、その担当する者が個人の尊厳を保持し、自立した日常生活を営むことができるよう、常にその者の立場に立つて、誠実にその業務を行わなければならない」と規定されている。

②×　介護保険法の規定の一部である。

③×　児童福祉法の規定の一部である。

④×　老人福祉法の規定の一部である。

⑤×　障害者総合支援法の一部である。

でる問３　正解④　☞ 問題 P.47

①×　自立生活支援・重度化防止を図るには、介護福祉職が利用者と一緒にごみを分別し、ごみ出しのルールを理解し、思い出せるような支援が重要である。

②×　介護福祉職が整理整頓を行うことは利用者の残存能力の低下につながるため、利用者と一緒に冷蔵庫の中を片づけ、利用者の生活上の役割を奪わないように配慮する。

③×　利用者が自分で取り替えるかどうか等、本人の意向を十分に確認・尊重する。特に排泄介護では羞恥心を伴いやすいため、できるだけ利用者が自分で尿パッドを交換して後始末できるように支援することが望ましい。

④○　介護福祉職が服薬させるのではなく、利用者が自分で適切に服薬できるよう、そばで確認することも見守り的援助に含まれる。

⑤×　利用者と一緒に洗濯物を畳み、その利用者の有する能力を活用していく必要がある。

でる問４　正解⑤　☞ 問題 P.48

①×　まずは状況を把握してから対応策を考える。また、勤務先の人と直接会うと関係が悪化するおそれがある。

②×　初期の対応として、警察に通報することは不適切である。

③×　解決の手段を示さずに我慢することを押し付けるのは適切ではない。

④×　地域包括支援センターでは権利擁護に関する相談支援を行っている。ただし、その対象は主に高齢者の虐《ぎゃく》待《たい》に関する内容となる。

⑤○　障害者虐待防止法第 22 条において、「使用者による障害者虐待を受けたと思われる障害者を発見した者は、速やかに、これを市町村又は都道府県に通報しなければならない」と規定されている。

②人間関係とコミュニケーション

でる問５　正解③　☞ 問題 P.48

①×　個別化とは、利用者を一律にとらえず、「一人の人間」

として個別にとらえることである。設問は該当しない。

②×　秘密保持とは、利用者の秘密を守ることである。設問は該当しない。

③○　利用者は思っていることをストレートに出せるとは限らないため、自らの感情を自由に表出できる意図的な感情表出が重要となる。介護福祉職は、一人ひとりが自由に感情を表に出せるように配慮する必要がある。

④×　自己決定とは、利用者が自らの生活の仕方や人生の方向性等を選択し、自己決定することを尊重することである。設問は該当しない。

⑤×　非審判的態度とは、利用者を一方的に非難しないことである。設問は該当しない。

でる問 6　正解②

☞ 問題 P.49

①×　初対面の場合などは、対面法よりも直角法の方が、利用者との関係性をつくる座り方として有効である。

②○　利用者とコミュニケーションを図る際、花瓶を机上に配置するなど、外的要件にも配慮することが大切である。

③×　利用者と信頼関係が築けていない場合に、利用者との対人距離を近くすると、相手に不快感や不信感を与えてしまうおそれがある。

④×　介護職は、可能な限り、利用者と同じ目線に立ってコミュニケーションを図る。

⑤×　介護職が腕や足を組む姿勢は、利用者にとって威圧的な態度にとらえられてしまうおそれがある。

でる問 7　正解④

☞ 問題 P.49

①×　苦手な業務のサポートも教育・研修の一環として重要であり、控えるように指示することは適切ではない。

②×　職場外の専門家への相談は職場内での教育・研修ではないため、OJT（On the Job Training）に該当しない。

③×　専門書の購入を勧めることは、職務を通じた教育・研修を意味する OJT とはいえない。職場で勧められた専門書を通して自分自身で必要な知識・技術を主体的に学ぶのであれば、SDS（Self Development System：自己啓発援助制度）に該当する。

④○　先輩職員が移乗の介護に同行して行う指導は、職務を通じた教育・研修であるため、OJT に該当する。

⑤×　外部研修の受講は職場外での教育・研修であるため、Off-JT（Off the Job Training）に該当する。

③社会の理解

でる問 8　正解③

☞ 問題 P.50

①×　リハビリテーションは、その人が再び人間らしく生きることのできる「全人間的復権」を目指す考え方である。

②×　エンパワメントアプローチとは、ソロモンが提唱した援助技術であり、利用者が有する力を引き出して積極的に援助する方法をいう。

③○　ナショナルミニマムは、国が社会保障その他の公共政策によって国民に保障する最低生活水準をいい、今日では所得保障だけではなく、教育、住宅や環境なども含めて考えられている。

④×　ソーシャルインクルージョンとは、すべての人々を孤独、孤立、排除などから援護し、健康で文化的な生活の実現につなげるよう、社会の構成員として包み支え合うという概念である。

⑤×　ウェルビーイングとは、個人の権利や自己実現が保障され、身体的、精神的、社会的に良好な状態にあることを意味する概念である。

でる問 9　正解⑤

☞ 問題 P.51

①×　自助は、公的扶助を利用せず、自ら生活を維持することをいう。自分自身の生活課題の解決に向けて自発的に向き合うことも自助となる。

②×　地域包括ケアシステムでの互助は近隣住民同士の支え合いを意味し、制度化されてはいない。

③×　地域包括ケアシステムでの共助は社会保険のように制度化された相互扶助を指す。

④×　社会保険が被保険者による相互の負担で成り立っている等、地域包括ケアシステムでの共助は社会保障制度に含まれる。

⑤○　生活保護に代表されるように、公助は自助・互助・共助では対応できない生活困窮等に対応する。

でる問 10　正解③

☞ 問題 P.51

①×　社会保険は原則として強制加入である。

②×　いずれも何かしらの形で公費負担が行われる。

③○　社会保険には医療保険、年金保険、雇用保険、労災保険（労働者災害補償保険）、介護保険がある。

④×　社会保険の給付形態には、現金給付のほかにサービス提供による現物給付がある。

⑤×　社会保険の保険料は、被保険者全体の平均危険率と被保険者の負担能力（所得）を基にした平均保険料主義が採用されている。

でる問 11　正解②

☞ 問題 P.52

①×　介護保険制度の第 2 号被保険者は、市町村の区域内に住所がある 40 歳以上 65 歳未満の医療保険加入者である。

②○　介護保険制度の第1号被保険者は、市町村の区域内に住所がある65歳以上の者である。

③×　第1号被保険者の保険料は、保険者である市町村が徴収する。

④×　第2号被保険者の保険料は、加入している医療保険制度の各保険者が医療保険料と同時に徴収する。

⑤×　介護保険制度の加入は任意ではなく、40歳以上になると加入が義務づけられる。

でる問12　正解⑤

☞ 問題 P.52

①×　障害者総合支援法の目的に、障害児の保護者の所得保障は明記されていない。

②×　障害者総合支援法では、障害者の年齢を18歳以上としている。

③×　自立支援給付の支給決定を受けようとする場合には、障害者やその保護者が申請するとしており、知的障害者や精神障害者の家族が申請することにはなっていない。

④×　障害児については、障害支援区分認定を行う必要がない。ただし、介助の必要性や障害の程度を把握するために5領域11項目の調査は行う。

⑤○　市町村審査会は、障害支援区分の審査および判定を行うにあたり、必要があると認める場合、障害者本人、家族、医師などの意見を聴くことができる。これは、障害者総合支援法第21条第2項に規定されている。

でる問13　正解④

☞ 問題 P.53

①×　合理的配慮とは障害のある人から、社会の中にあるバリアを取り除くための対応を必要としているとの意思が伝えられた際に、個々の状況に適した対応を周囲の人たちが実施することを指す。例えば、知的障害のある人が会議に出席した際、本人の申出に応じ、わかりやすい言葉で書かれた資料を主催者が用意するのも合理的配慮となる。

②×　合理的配慮の提供は、これまで行政機関は義務、事業者は努力義務とされていたが、2024（令和6）年4月からは事業者も義務化されることになった。

③×　「障害者差別解消法」でいう障害者（障害児を含む）とは「障害者手帳」の所持者だけではなく、身体障害がある人、知的障害がある人、精神障害（発達障害や高次脳機能障害を含む）がある人、その他の心身の働きに障害がある人で、障害および社会的障壁によって日常生活や社会生活に相当な制限を受けている人すべてが対象となる。

④○　「障害者差別解消法」では障害を理由としたサービスの提供拒否やサービスの提供場所・時間の制限等、不当な差別的扱いを禁止するとともに合理的配慮を提供し、共生社会の実現を目指している。共生社会とは、すべての国民が障害の有無にかかわらず、互いに人格と個性を尊重し合い、理解し合いながらともに生きていく社会を指す。

⑤×　障害者差別解消支援地域協議会は国および地方公共団体の機関であり、当事者、保健、医療、福祉、教育等の関係者によって組織することができる。

でる問14　正解①

☞ 問題 P.53

①○　生活保護法第3条に「この法律により保障される最低限度の生活は、健康で文化的な生活水準を維持することができるものでなければならない」と規定されている。

②×　生活保護法第7条に「保護は、要保護者、その扶養義務者又はその他の同居の親族の申請に基いて開始するものとする」と規定されている。

③×　生活保護法第10条に「保護は、世帯を単位としてその要否及び程度を定めるものとする。但し、これによりがたいときは、個人を単位として定めることができる」と規定されている。

④×　自分の家や車を所有している場合であっても、保護が認められることがあるので、すべて生活保護の対象とならないとはいえない。

⑤×　年金や稼働収入があっても、その額が少なく生活が困窮している場合には総合的に判断して保護が認められる。よって、年金や稼働収入の有無だけで保護の必要性が判断されるわけではない。

■生活保護の8つの扶助と支給方法（原則）

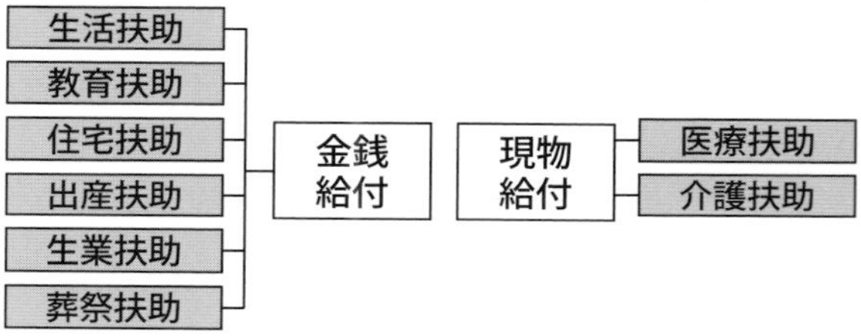

でる問15　正解②

☞ 問題 P.54

①×　法定後見開始の申立ては、四親等内の親族なども行うことができる。

②○　任意後見制度は、判断能力が不十分になる前に、後見人になる者をあらかじめ本人が任意後見受任者と任意後見契約を締結することにより選任しておく制度である。

③×　日常生活自立支援事業は、認知症がある高齢者、知的障害者、精神障害者などの十分な判断能力がなく、適切な福祉サービスを受けることができない者であって、日常生活自立支援事業の契約内容について判断し得る能力を有している者を対象としている。

④×　公共料金の支払いは、日常生活自立支援事業の支援内容に含まれる。

⑤× 映像や音声の情報であっても、個人が特定できるものは、個人情報保護の対象に含まれる。

■法定後見の三類型

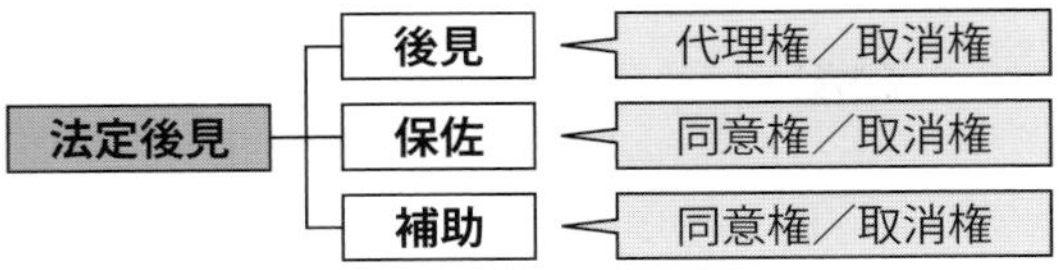

でる問 16　正解① ☞ 問題 P.54

①○ 病院は、20 人以上の入院施設をもつものをいう。

②× 歯科を診療科目とする病院の開設はできる。

③× 診療所は、入院施設が 19 人以下の施設をいう。

④× 調剤を実施する薬局（調剤薬局）は、医療法において医療提供施設として定められている。

⑤× 介護老人保健施設は介護保険法に基づく介護保険施設の1つで、要介護者が在宅への復帰を目指して心身の機能回復訓練を行う施設である。

④介護の基本

でる問 17　正解② ☞ 問題 P.55

①× 介護福祉士を名乗れるのは、介護福祉士登録簿に氏名、生年月日等の事項の登録を受けた者である。

②○ 介護福祉士とは、心身の状況に応じた介護（喀痰《かくたん》吸引等を含む）を行い、並びに介護に関する指導を行うことを業とする者である。

③× 2019（令和元）年の介護保険法改正により、成年被後見人・被保佐人ともに登録の際の欠格事由に該当しないこととなった。

④× 介護福祉士が信用失墜《しっつい》行為をした場合、登録の取り消し、または期間を定めて名称の使用の停止となる場合がある。

⑤× 介護福祉士を名乗ることができるのは介護福祉士の登録をした日からである（名称独占）。

■現行の介護福祉士の定義

> 登録を受け、介護福祉士の名称を用いて、専門的知識及び技術をもつて、身体上又は精神上の障害があることにより日常生活を営むのに支障がある者につき心身の状況に応じた介護（喀痰吸引その他のその者が日常生活を営むのに必要な行為であつて、医師の指示の下に行われるものを含む）を行い、並びにその者及びその介護者に対して介護に関する指導を行うことを業とする者

でる問 18　正解② ☞ 問題 P.56

①× 個人情報には特定の個人を識別できる氏名、生年月日、写真、文書、映像、個人識別符号（指紋、マイナンバー、基礎年金番号等）のほか、音声情報も含まれる。よって、利用者の音声情報を使用する際は、事前に使用目的等を説明して同意を得る。

②○ 施設は利用者や家族等の個人情報を得る立場にあるため、個人情報を適切に管理する方法に加え、万が一、個人情報が漏洩《ろうえい》した際の対応手順等についても定期的に研修会を行い、職員の共通認識を深めておく必要がある。

③× すべての個人情報を自由に閲覧できるように職員同士でパスワードを共有した場合、職員 A の個人情報を職員 B が勝手に見てしまう等、本来知り得てはならない職員までもが、その個人情報を入手してしまうおそれがある。

④× 個人情報を記載した書類を新聞紙と一緒に捨てた場合、第三者に個人情報が渡ってしまい、トラブルにつながるおそれがある。

⑤× 職員への守秘義務の提示は、退職時ではなく、採用時に書面で行う。

でる問 19　正解⑤ ☞ 問題 P.56

①× 車いすは福祉用具の１つであり、ICF（国際生活機能分類）の「環境因子」に該当するが、車いすが原因で地域住民と交流できていないとの記述はみられない。

②× パーキンソン病は、病気の１つである。こうした病気は ICF（国際生活機能分類）の「健康状態」に該当する。

③× 本人以外の人、物、建物、制度、サービス等は「環境因子」であるため、息子との二人暮らしは「環境因子」となる。ただし、息子との二人暮らしが地域住民と交流できていない理由であるとは記述されていない。よって、参加制約の原因とはいえない。

④× 不安定な歩行は移動の状況を示している。こうした移動は ICF（国際生活機能分類）の「活動」に該当する。

⑤○ 自宅周辺の坂道や段差は、自宅周辺の環境を示しており、「環境因子」に該当する。自宅周辺は坂道や段差が多くて移動が難しいとの記載もあるため、これが参加制約の原因としても最も適切である。

でる問 20　正解② ☞ 問題 P.57

①× 職業的リハビリテーションは適職への就職や訓練等、障害のある人が望む仕事に就いたり職業に復帰したりするために行う。

②○ 医学的リハビリテーションは個人の心身機能や身体機能を伸ばすことで生活上の自立を獲得し、その人らしい生活を送れるようにする医学的プロセスである。「利き手の交換」は医学的リハビリテーションに該当する。

③× WHO の定義には「経済的リハビリテーション」は

含まれていない。

④× 教育的リハビリテーションは心身に障害のある子ども等に対し、能力が向上したり、潜在的な能力を見出したり、自己実現を図れたりするような支援を行うことである。

⑤× 社会的リハビリテーションは障害のある人が自らの障害を適切に理解したうえで社会資源の活用を図り、社会で生活する力を高めることを目指すものである。

でる問 21 正解⑤

☞ 問題 P.57

①× 看護小規模多機能型居宅介護は地域密着型サービスに位置づけられている。

②× 看護小規模多機能型居宅介護が行うサービスには宿泊サービスもあるが、ショートステイであるため、長期間の宿泊は原則的にはできない。

③× 看護小規模多機能型居宅介護の管理者は、保健師もしくは看護師、または3年以上認知症である者の介護に従事した経験があり、厚生労働大臣が定める研修を修了した者とされている。

④× 看護小規模多機能型居宅介護も含めて、地域密着型サービスの提供範囲は、原則、市町村の範囲である。

⑤○ 看護小規模多機能型居宅介護は、そこに所属する介護支援専門員（ケアマネジャー）が「通い」「泊まり」「訪問介護（ホームヘルプサービス）」「訪問看護」のサービスを一元的に管理するため、看護と介護を一体的に提供できるのが特徴である。

でる問 22 正解⑤

☞ 問題 P.58

①× 栄養ケア・マネジメントは、管理栄養士が中心となって行う。薬剤師は、病院や薬局で薬を調合するほか、利用者への服薬指導を実施する。

②× 認知症の診断と治療は、医師が行う。作業療法士は、応用的な動作の回復等を目指し、日常生活動作（ADL）や調理等の訓練を実施する。

③× 療養上の世話や診療の補助は、看護師が行う。社会福祉士は、ソーシャルワーカーとして利用者や家族等への相談援助を実施する。

④× 身体機能改善や機能訓練は、主に理学療法士や作業療法士が行う。歯科衛生士は、歯科医師と連携して、利用者への口腔ケアの指導等を実施する。

⑤○ 介護支援専門員は、ケアマネジメントに基づき利用者にアセスメントを行い、ケアプランを作成する。

でる問 23 正解④

☞ 問題 P.58

①× サービス担当者会議は、月に何回以上などの規定はない。主な開催時期は、①新規にケアプランに基づくサービスを開始する前、②利用者の身体状況等に変化が生じたとき、③何かしらの問題が発生したときとなる。

②× サービス担当者会議の開催場所は、利用者の自宅とは限らない。利用者が入院している病院や入所している介護老人保健施設等でも開催できる。

③× サービス担当者会議には利用者や家族の参加が基本となるため、利用者の匿名化の必要はない。

④○ サービス担当者会議の招集は、介護支援専門員（ケアマネジャー）が行う。

⑤× サービス担当者会議の目的は、主に①利用者の状況等に関して情報共有を図ること、②ケアプラン（居宅サービス計画等）の内容について検討することである。

でる問 24 正解⑤

☞ 問題 P.59

①× 細心の準備をしていても、ヒューマンエラーなどが生じることもあり、事故が起こらないとは言い切れない。

②× 小さな介護事故であっても、個人で対応せず、必ず組織の代表者に報告を行い、同じ事故を繰り返さないように情報を共有する必要がある。

③× 介護事故を報告した後の対応は、組織の代表者に一任するのではなく、担当者として一緒に関わるようにする。

④× 介護業務に慣れていても、慣れから事故が生じる場合もあるので注意が必要である。

⑤○ ヒヤリ・ハットとは、重大な事故には至らなかったものの事故の一歩手前までいった状況のことである。重大な事故の前には多くのヒヤリ・ハットが潜んでおり、事例を収集・分析し共有することは事故を防ぐことにつながる。

でる問 25 正解①

☞ 問題 P.59

①○ その他、労働者自身のストレスへの気づきを促すことやストレスの原因となる職場環境の改善につなげることも目的とされている。

②× ストレスチェックの実施者は医師、保健師または厚生労働大臣が定める研修を修了した看護師もしくは精神保健福祉士と定められている。

③× 労働者数50人以上の事業場に義務づけられている。なお、労働者50人未満の事業場については当分の間、努力義務とされている。

④× 事業者が1年以内に1回実施することとされている。ちなみに事業所・事業場とは事業が行われる場所であり、事業者とは事業を行う者（法人）のことである。

⑤× 実施した結果は、実施者から労働者に対して通知することとなっている。なお、労働者が同意した場合は、実施者が事業者にも結果を通知できる。

でる問 26　正解④　☞ 問題 P.60

①×　ノロウイルスは非常に感染力が強く、ごく少量のノロウイルスを体内に取り入れても下痢や嘔吐《おうと》などの症状を引き起こす。ノロウイルスは熱には弱いが、消毒するにはぬるま湯ではなく熱湯でなければ効果が発揮されない。

②×　エタノールはノロウイルスに対する効果が十分でない。

③×　ベンザルコニウム塩化物溶液は、手指や皮膚等の消毒剤として使われるが、ノロウイルスには効果がない。

④○　ノロウイルスの消毒には、次亜塩素酸ナトリウム溶液が有効である。

⑤×　クロルヘキシジングルコン酸塩溶液は、手指や皮膚等の消毒には使われるが、ノロウイルスには効果がない。

⑤コミュニケーション技術

でる問 27　正解①　☞ 問題 P.60

①○　繰り返しは、相手が語った言葉を繰り返して伝えることである。介護福祉職は、D さんの発した内容を同じ言葉を使って繰り返している。繰り返しには主に、①関心をもって聴いていることを利用者に伝えられる、②利用者は自らの発した言葉の内容を確認できる、③互いに感情等の情報を共有できるメリットがある。

②×　あいづちは、関心をもって聴いていることを相手に伝えるため、相手の話にうなずき、調子を合わせる。介護福祉職があいづちしたとの記述はみられない。

③×　閉じられた質問は「はい」または「いいえ」で答えられる質問、または簡単な単語で短く回答できる質問を指し、事実を確認する時等に用いる。介護福祉職は D さんの発した内容を繰り返し伝え、思いに寄り添う姿勢がみられるため、閉じられた質問ではない。

④×　要約は、相手が話した内容やその意味、利用者の思い等を整理し、相手が理解できるよう、端的にまとめて伝える技法である。介護福祉職は D さんと同じ言葉で返しており、要約ではない。

⑤×　言い換えは、相手が話した内容を別の言葉を使って返す技法である。介護福祉職は D さんと同じ言葉で返しているため、言い換えではない。

でる問 28　正解⑤　☞ 問題 P.61

①×　重度の失語症のある人の場合、五十音表はほとんど役に立たない。

②×　失語症は脳の言語中枢の障害によって「話す」だけでなく、「聞く」「書く」「読む」等にも支障が生じることがある。特に重度の失語症の場合は、声を出して読むことが難しい。

③×　重度障害者用意思伝達装置は、言語障害に加えて両上肢の障害のために言葉を発せられず、手を使って文字を書いたり、ジェスチャーしたりすることも困難な場合に用いられる。特に筋萎縮《いしゅく》性側索《そくさく》硬化症（ALS）に罹患《りかん》した人が使用することが多い。

④×　失語症の場合、「書く」ことにも支障が出る場合がある。その際は漢字よりも、ひらがなが難しい。

⑤○　失語症のある人とのコミュニケーションでは、「はい」「いいえ」等のように簡単に答えることができる質問をしたり、絵やジェスチャーといった視覚からの情報を活用したりする工夫が必要になる。

でる問 29　正解④　☞ 問題 P.62

①×　議題は利用者の支援内容だけでなく、施設行事、企画、施設運営の在り方などさまざまな内容を取り上げる。

②×　議題の内容によっては、各専門職があらかじめ検討してからカンファレンスに参加した方が有効な場合もあるので、会議資料を事前に配布しても問題ない。

③×　司会者についての決まりはない。

④○　職員のスーパービジョンの機会として、カンファレンスの場を活用することは有効な方法である。

⑤×　カンファレンスは、議題に合わせて、必要な職員が参加するものであり、必ずしも多くの職員が参加すればよいというわけではない。また、職員の業務の一環であることから、勤務時間内に設定する必要がある。

でる問 30　正解①　☞ 問題 P.62

①○　他から得た情報についても 5W1H（When：いつ、Where：どこで、Who：誰、What：何、Why：なぜ、How：どのように）の要素を取り入れ、情報源も書く。

②×　介護福祉職の意見を中心に書くのではなく、利用者の状況や出来事などの客観的事実を中心に記載する。

③×　介護福祉職は、利用者の気持ちを推測して書いた主観的情報だけでなく、推測の根拠となった利用者の言動や表情などの客観的な事実も介護記録に明記する。

④×　記録は先延ばしにせず、記憶が確かなうちに書く。

⑤×　観察や確認されたありのままの事実としての客観的事実と介護福祉職の考えや判断、推測などに基づく主観的情報は区別して書く。

⑥生活支援技術

でる問 31　正解③　☞ 問題 P.63

①×　トイレの増設や、非水洗式和式便器から水洗式洋

式便器に取り替えた場合の水洗化工事費用は、住宅改修費の対象外である。

②×　階段に昇降機を設置することは、住宅改修費の対象外である。

③○　手すりを取り付けるための壁の下地補強や、扉の取替えに伴う壁や柱の改修工事などは、住宅改修費の支給対象の範囲内である。

④×　浴室内にすのこを置くことは、住宅改修費の対象外である。

⑤×　浴室への暖房機の設置は、住宅改修費の対象外である。

でる問 32　正解②

☞ 問題 P.63

①×　砂利《じゃり》道では、揺れや衝撃を軽減させるため、前輪（キャスター）を持ち上げたまま駆動輪（後輪）のみで進む。

②○　踏切を渡るとき、レールの溝に前輪がはさみ込まれる危険性がある。よって、前輪を上げたまま、駆動輪のみでレールを越えて進む。

③×　急な上り坂では、車いすが下がらないようにしっかりと支えながら、ゆっくり進む。

④×　急な下り坂では、周囲、特に後方の状況に注意しながら、後ろ向きで進む。

⑤×　段差を上がるときは、まず、前輪を上げたまま、駆動輪が段差に接するまで進む。次に、段上に前輪を下ろし、グリップを押し上げながら段上に駆動輪を乗せていく。

でる問 33　正解⑤

☞ 問題 P.64

①×　必要量以上に塩分や糖分を摂取すると、高血圧症や糖尿病等になる危険性を高めるおそれがある。

②×　消化吸収機能が低下すると、栄養素をうまく吸収できなくなる。こうした状態で炭水化物を中心とした食事にすると、たんぱく質の不足を招き、筋肉量の減少に加え、病気の治りを遅くしてしまうおそれもある。

③×　唾液《だえき》分泌が低下している場合、水分が少なくパサパサしているパンやカステラ等の食べ物は食塊形成しづらく、嚥下《えんげ》しにくい。

④×　咀嚼力《そしゃくりょく》が低下した場合、「噛むのが大変だから」という理由で肉料理を避ける人もいる。しかし、肉からは良質なたんぱく質が摂取できるため、控えるべきではない。

⑤○　腸の蠕動《ぜんどう》運動が低下すると便秘になりやすくなるため、日頃の運動に加え、乳酸菌や食物繊維を含む食品を積極的に摂取し、腸内環境を整えることが望ましい。

でる問 34　正解①

☞ 問題 P.64

①○　テーブルは高すぎず低すぎず、両肘《ひじ》がついたとき、腕が自由に動かせるものを用意する。テーブルの高さは腕を載せて肘が 90 度に曲がる程度が望ましい。

②×　顎《あご》が上がった状態で食事すると、食物が気管に入りやすくなり、誤嚥《ごえん》の危険性を高める。誤嚥を避けるためにも、食事の際は顎を軽く引き、頭部がやや前傾となる姿勢を確保する。

③×　いすに浅く座った状態では座位姿勢が安定せず、いすから滑り落ちる危険もある。よって、食事の際は安定した座位姿勢の確保のため、いすには深く座る必要がある。

④×　テーブルと体の間を 30cm 離すのは遠すぎて、背中が曲がったり、姿勢が崩れたりしやすくなる。テーブルと体の間はこぶし１つ分程度の隙間《すきま》とすることが望ましい。

⑤×　体幹を後方に傾けた状態では、食物を口へ運ぶまでの距離が長くなり、食べづらい。さらに頸《けい》部も後ろに反りやすくなり、結果的に誤嚥の危険性を高める。よって食事の際は、やや前傾姿勢とするのが基本である。

でる問 35　正解⑤

☞ 問題 P.65

①×　胃・結腸反射とは、摂食・嚥下《えんげ》により胃に食べ物が入ると、その信号を受けて大腸が蠕動《ぜんどう》運動を引き起こし、便をＳ状結腸から直腸へと送り出すことである。よって、胃・結腸反射を誘発するためにはトイレまでの歩行ではなく、食べ物を摂取することが有効である。

②×　臥床《がしょう》することで腸内の蠕動運動は低下する。なお、食後すぐに臥床すると食べ物が食道に逆行しやすく、場合によっては逆流性食道炎を引き起こすおそれもある。

③×　利用者に便意や尿意があった場合、介護福祉職はタイミングよく誘導する必要がある。便意を催してから 30 分後にトイレ誘導する行為は、利用者に我慢と苦痛を感じさせ、トイレでの排泄《はいせつ》を間に合わなくさせる。

④×　腹部マッサージは大腸の蠕動運動を促すため、上行結腸→横行結腸→下行結腸の順に、おへその下から時計回りに「の」の字を描くように行う。

⑤○　排泄を促すには足底を床につけ、腹圧をかけやすい（腹部に力を入れやすい）前傾した座位姿勢が有効である。

でる問 36　正解②

☞ 問題 P.66

①×　水圧より腹圧のほうが高いのでろう孔から湯が入ることはない。胃ろうを造設している人も入浴可能である。

②○　入浴の際、湯に肩まで浸かると静水圧作用で心臓への負担が増す。よって、心臓に負担をかけさせないため、心臓機能障害がある人には浴槽内の水位を心臓より低くした半身浴が望ましい。

③×　血液透析を受けている人は、シャントの針を刺した

部分（穿刺《せんし》部）からの出血や感染を防ぐため、血液透析を行った日の入浴は避ける。特に血液透析直後は血圧が低く、ふらつくため、入浴は控えなければならない。

④× 回腸ストーマの場合、便が出やすい食後1時間以内の入浴は避ける。なお、回腸ストーマとは小腸に造設される消化管ストーマのことである。

⑤× 入浴は体力を消耗させ、酸素の必要量を増加させる。よって、酸素療法を行っている人が入浴する際は、酸素供給器に水がかからないように配慮し、医師の指示に基づく酸素量を鼻カニューレから吸入する必要がある。

でる問 37　正解①

☞ 問題 P.66

①○ 人工透析をしている場合、かゆみ（掻痒感《そうようかん》）を訴えることがある。だからといって強くこすると皮膚が傷つき、かゆみや刺激に過敏になってしまう。よって、皮膚を保護するためにも、柔らかいタオルで優しく洗う。

②× ナイロンたわしで洗うと皮膚が傷つきやすい。しかも、糖尿病性神経障害がある場合、特に足への刺激に対する感覚が低下しているため、ナイロンたわしによる足の傷に気づかないおそれもある。

③× 浮腫《ふしゅ》のある部位は強く押し当てず、軽くさするように洗う。

④× 褥瘡《じょくそう》がある場合、しっかりと泡立てた洗浄剤を用いて褥瘡周囲の皮膚の汚れを浮かし、褥瘡部はこすらないようにする。

⑤× 乾燥性皮膚疾患がある場合、弱酸性の石鹸で洗う。

でる問 38　正解②

☞ 問題 P.67

①× 誤嚥《ごえん》防止のため、食事介助と同様、歯磨きなどの口腔《こうくう》ケアを行う際も利用者の顎《あご》を軽く引き、頭部を前屈させる。

②○ うがいができる場合、ブラッシングの前にブクブクうがい（洗口）を行い、口腔内の食物残渣《ざんさ》を取り除くとともに、口腔内を湿らせる。

③× 部分床義歯（局部床義歯）のクラスプ部分は汚れが溜《た》まりやすく細菌が繁殖しやすいため、流水だけでなく、クラスプ用ブラシや義歯用ブラシを使用して丁寧にブラッシングする。その際、力を入れ過ぎるとクラスプが変形したり傷ついたりするおそれがあるため、注意が必要である。

④× 誤嚥を予防するため、舌の清拭《せいしき》は、舌ブラシなどを用いて、奥から手前に向かって行う。舌苔《ぜったい》がある場合、それを一度に全部取ろうとすると、舌を傷つけてしまったり、長時間のケアによって利用者の疲労につながったりするため、注意する。

⑤× 全部床義歯（総入れ歯）の場合には、下からはずして、次に上をはずすことが基本である。

でる問 39　正解③

☞ 問題 P.67

①× 支援者ではなく、利用者が着脱しやすい衣服が望ましい。片麻痺《かたまひ》がある場合、ゆったりとした伸縮性のある、かぶりタイプの衣服も適している。また、利用者の好みのデザインや色等も大切にする必要がある。

②× 片麻痺のある人の衣服の着脱介助の原則は「脱健着患」である。よって、左片麻痺がある場合は健側の右から脱ぎ、患側の左から着るようにする。

③○ 生活にメリハリをつけるためにも、衣服を着替えることは重要である。昼と夜はもちろん、外出時等にも着替えることで気分転換にもなる。

④× 気候に合わせた衣服を選ぶことは大切であるが、支援者が勝手に選んではならない。

⑤× 季節に合わせた衣類の選択が必要である。例えば、夏は通気性のよい服、冬は保温性に優れた服を選ぶことが望ましい。

でる問 40　正解④

☞ 問題 P.68

①× 色移りを防ぐためには、素材で分けるよりも、濃い色のものと薄い色のものは分けて洗う等、色合いで分けて洗濯するのがよい。

②× 塩素系漂白剤は漂白力が非常に強く、ウール（羊毛）や絹、ナイロン、ポリウレタン等の繊維を傷めることがある。よって、塩素系漂白剤はデリケートな素材であるカシミヤのセーターにも使用できない。

③× マジックテープを外して洗濯すると、テープに糸くず等が絡み付いたり、他の衣服の生地を傷めたりすることがあるため、マジックテープは留めた状態で洗濯する。

④○ ほころびや破れがある状態で洗濯すると生地にさらに負担がかかり、ほころびや破れが悪化する。よって、修理してから洗濯する必要がある。

⑤× ファスナーを開けた状態で洗濯すると衣服の生地を傷めてしまうことがあるため、閉めた状態で洗濯する。

でる問 41　正解②

☞ 問題 P.68

①× 一般的に就寝時間には決まりがないため、毎日、同じ時間に寝る必要はない。基本的に極端に生活リズムが乱れていない限り、これまでの生活リズムを尊重する姿勢が介護福祉職には求められる。

②○ 起床時に日光を浴びることで、セロトニンという覚《かく》醒《せい》を促すホルモンが分泌され、朝になったというメッセージが全身に伝わり、体内時計がリセットされる。この結果、覚醒と睡眠のリズムが整い、質のよい睡眠につながる。

③× 緑茶やコーヒー等には覚醒作用があるカフェインが含まれているため、就寝前に勧めることは適切でない。

④× 日中、長い昼寝をすると体力の消耗が抑えられ、夜に眠って休むという生活リズムが乱れるおそれがある。よって、日中の長い昼寝を勧めることは適切とはいえない。

⑤× 食事後、消化が落ち着くまでは3時間程度かかる。よって、就寝する3時間前には食事を済ませておくことが望ましい。

でる問 42　正解⑤

☞ 問題 P.69

①× タクシーに乗るときは、視覚障害のある人を先に車内に誘導するのが基本である。

②× 点字ブロックの上で待つのは他の視覚障害のある人の移動の妨げになったり、本人にとっても危険であったりするため行ってはならない。

③× 狭い通路では視覚障害のある人に支援者の真後ろに入ってもらい、一列になって歩く。

④× 雨の日にフードつきのレインコートを着用してしまうと、耳がふさがって周囲の音が聞こえづらくなり、非常に危険である。よって、支援者と2人で入れる大きめの傘を用意し、どちらか背が高い人が傘を持つとよい。

⑤○ たとえ短時間であっても、一時離れる際はより所となる柱や壁に触れる位置まで誘導し、できる限り不安を感じさせないようにする。

でる問 43　正解④

☞ 問題 P.69

①× 両下肢を伸ばした状態のままでは重心が低く、ベッドとの摩擦力が強いため、側臥位《そくがい》をとるのに負担が伴う。膝を立てることで重心が高くなるとともに、ベッドとの摩擦力も減るため、側臥位をとりやすくなる。

②× 両上肢を体幹に沿わせて置いた状態で側臥位になると、腕を巻き込む危険性がある。側臥位になる前に健側の手で患側の手を支えるように腕を組む等の方法をとる必要がある。

③× 左側に水平移動した後左側臥位になると、ベッドの左端すれすれの位置で側臥位をとることになってしまう。

④○ 左側臥位にする場合、頭の位置が仰臥位《ぎょうがい》のときより左側にくる。事前に枕を左側に寄せておくことで、左側に向いた際、頭と枕の位置がずれるのを防ぐことができる。

⑤× 膝→腰→肩の順序で向きを変える。先に膝が倒れることで腰の回転が始まり、それに連動する形で肩が回転するため、より自然な形で体位変換できる。

でる問 44　正解①

☞ 問題 P.70

①○ 死亡後の全身清拭《せいしき》では、水ではなく、アルコールに浸した脱脂綿で拭き清めるのが一般的である。

②× 死亡後の介護では、故人の外見上の変化をできるだけ目立たないようにする。安易に紐で顎《あご》を固定することは、故人はもちろん家族にも失礼にあたるだけでなく、顎に紐の跡が残るおそれもある。口が閉じない場合は、頭部を持ち上げて高さをつくる等の調節を行うとよい。

③× 死亡後の介護でも、その人らしさを尊重する。よって、着衣がしやすい服ではなく、生前の本人の希望や家族の希望によって着る服を決めるようにする。

④× 死亡後、ペースメーカーを取り除くことができるのは医師である。

⑤× 家族が死亡後の介護に参加することは、大切な人の死を悲しみ、それを受け入れるために必要な過程といえる。ただ、中には一緒に行いたくない家族もいるため、それぞれの家族の意向を十分に確認して検討する。

⑦介護過程

でる問 45　正解②

☞ 問題 P.70

①× 介護過程では他職種との役割の分化ではなく、利用者に関わる様々な職種の多職種連携・協働が重要となる。

②○ 介護過程の目的には、利用者の自立や自己決定の支援に加え、利用者の望む生活の実現、QOL（生活の質）の向上、生活課題の解決、尊厳の保持などが含まれる。

③× 家族の介護負担の軽減も重要である。ただし、介護過程では、利用者の個別性に着目し、個々の利用者における尊厳の保持や自己決定の尊重、自立支援を図る取り組みであることを忘れてはならない。

④× 介護過程とは、利用者が望む生活の実現に向けて、場当たり的で思いつきの介護ではなく、個別性に応じた計画的で根拠に基づいた介護を展開するためのプロセスである。介護福祉職の介護観の変容を図るものではない。

⑤× 利用者の健康状態の改善だけが介護過程の目的ではない。介護過程では、健康状態に加え、心身機能・身体構造、活動、参加、個人因子、環境因子からなる国際生活機能分類（ICF）に基づいてアセスメントし、そこから見出された生活課題の解決を図ることが重要となる。

■介護過程のポイント

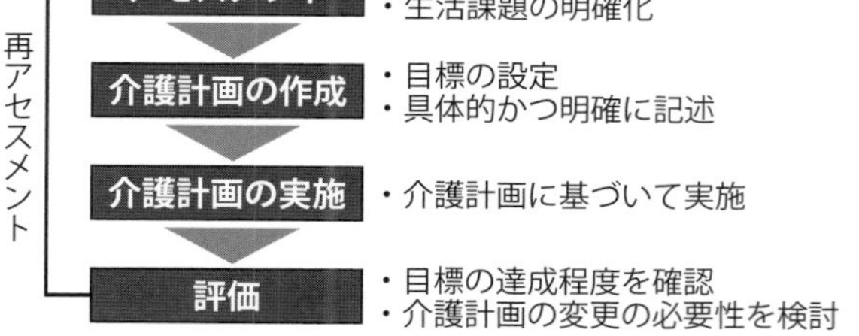

でる問 46　正解③

☞ 問題 P.71

①×　アセスメントでは、総合的に情報収集をする。利用者本人の希望に沿った情報収集も大切であるが、情報が偏ると適切なアセスメントを行えないおそれがある。

②×　家族ではなく、利用者のニーズを満たすために情報を収集する。

③○　収集した情報を解釈する際は、介護福祉職が持っている視点・知識・技術を活用する。

④×　アセスメントは「情報収集→情報の整理・統合（関連づけ）・解釈（分析）→生活課題（ニーズ）の明確化」の順に行われる。生活課題を明確にした後で情報を関連づけることは誤りである。

⑤×　アセスメントで行われる情報収集には、利用者の疾病、日常生活動作（ADL）、家族関係等に加え、利用者自身の要望（デマンド）も含まれる。よって、利用者の要望も含めて情報収集した後で、それらの情報を整理する。

でる問 47　正解④

☞ 問題 P.71

①×　長期目標は生活課題が解決した状態または生活課題（ニーズ）が満たされた状態を表す。よって、長期目標は生活課題ごとに設定する必要がある。

②×　長期目標の期間は、生活課題が解決する時期や生活課題（ニーズ）が満たされる時期を予測して設定する。そのため、利用者ごとに長期目標の期間は異なる。一般的には6か月～1年程度の期間を設定することが多いが、あくまでもその利用者に応じた期間を設定することが望ましい。

③×　短期目標は具体的な内容で表現する。例えば「多脚杖を使用して施設内をバランスよく20m歩くことができる」というように、数値を用いると評価しやすくなる。

④○　短期目標は、長期目標を達成するために設定する段階的な目標である。一般的に1つの長期目標に対して複数（2つ以上）の短期目標が存在する。

⑤×　生活全般の課題（生活課題）が解決した状態を表現するのは長期目標である。

でる問 48　正解②

☞ 問題 P.72

①×　介護福祉職ではなく、利用者の、介護内容への満足度などを評価する。

②○　介護過程の評価では、支援の実施状況や短期目標の達成度、利用者の満足度などを確認する。

③×　短期目標が複数ある場合は、それぞれの短期目標に対して評価する。

④×　実施後ではなく、事前に評価基準を定めてから介護計画を実施する。例えば、短期目標を評価基準とし、それが達成できているか否かを判断する。

⑤×　家族ではなく、施設・事業所のスタッフが評価する。その際、評価担当者一人の見解では的確な評価が困難となるため、ケアカンファレンスを開催し、複数のメンバーによる多角的な視点からの評価が必要となる。

でる問 49　正解④

☞ 問題 P.72

①×　チームアプローチでは、他のチームメンバーの役割や専門性などを十分に理解しておかなければならない。

②×　チームアプローチは、チームメンバーが連携・協力し、利用者にとって適切な支援を提供するものである。よって、医療職がチームアプローチを主導するわけではない。

③×　チームメンバーの人数は、利用者の支援内容や支援段階などに応じて、流動的に変化するものである。

④○　チームアプローチであっても、利用者本位を徹底する必要があり、チームアプローチの中心には利用者が位置づけられるものである。

⑤×　ボランティアや地域住民など、利用者に必要な社会資源であれば、チームメンバーに加わることができる。

⑧こころとからだのしくみ

でる問 50　正解②

☞ 問題 P.73

①×　膨大な情報の貯蔵が可能なのは、長期記憶である。

②○　記憶の過程には、記銘、保持、想起《そうき》の3つがある。

③×　手続き記憶は、自転車の乗り方など、若いときに習得した技術や技能の記憶である。

④×　一般的な知識についての記憶は意味記憶である。エピソード記憶は、ある特定の時間と場所での個人にまつわる出来事のように、過去の経験と時間とが連結された記憶である。

⑤×　記憶の処理は、脳の海馬で行われる。

でる問 51　正解③

☞ 問題 P.74

①×　加齢黄斑《おうはん》変性症は、加齢により網膜《もうまく》色素上皮に老廃物が蓄積して黄斑部が障害される疾患で、歪んで見える、真ん中が見えない（中心暗点）、視力が低下するなどの症状がみられる。眼球の痛みは特徴的な症状ではない。

②×　緑内障は一般的に眼圧が上昇し、視野障害が起き、場合によっては失明に至ることもある（失明原因の第1位）。近いところが見えにくいことは特徴的な症状ではない。最近は、眼圧が正常であるにもかかわらず緑内障になる正常眼圧緑内障もみられる。

③○　流行性角結膜炎は、昔から「はやり目」と言われ、感染力が強い疾患である。症状としては結膜が充血して、

涙や目やにが多く出て眼痛を伴う。

④× 白内障になると硝子体ではなく、水晶体が濁ってかすんで見えるようになる。

⑤× 糖尿病性網膜《もうまく》症は糖尿病の3大合併症の1つで、成人の失明原因の第2位の疾患である。目やにが増えることは特徴的な症状ではない。

でる問 52　正解③

☞ 問題 P.74

①× 廃用性筋萎縮の予防のために、安静時でも足を回す、手や足先をもみほぐすなどなるべく体を動かす。

②× 関節拘縮を予防するためには、安静時にも同じ姿勢を続けないよう寝返りをうつ、手足をなるべく動かすことなどが必要である。運動制限は運動器障害を助長する。

③○ 廃用症候群では、深部静脈血栓症により致命的な肺塞栓《そくせん》症を引き起こすことがある。致命的な病態になる前に離床を促すことが大切になる。

④× 褥瘡《じょくそう》を予防するために、同じ姿勢を続けないように寝返りをうつ、元気なときには座位にするなど同じ箇所が長時間圧迫されることがないようにする。

⑤× 廃用症候群では慣れない入院生活が原因でせん妄などの精神障害もみられることがある。入院中でも話しかけるなどの関わりが大切になる。

でる問 53　正解①

☞ 問題 P.74

①○ 摂食・嚥下《えんげ》のプロセスは、先行期→準備期→口腔《こうくう》期→咽頭《いんとう》期→食道期となる。先行期は、食べ物の形状、色、においなどを認識する時期である。眼鏡が使用できなくなったFさんの場合、食事の内容が見えづらく、これから自分が何を食べるのか、把握しづらい状況にあったと考えられる。よって、最も影響を受ける段階は先行期となる。

②× 準備期は、食べ物を口の中に入れて咀嚼《そしゃく》し、唾液《だえき》と混ぜて飲み込みやすくするための食塊を形成する時期である。

③× 口腔期は、形成された食塊が、舌を使って、口腔から咽頭に移動する時期である。

④× 咽頭期は、嚥下反射によって咽頭から食道に食塊が運ばれる時期である。咽頭を通る際、鼻道と気道をふさぐことで誤嚥《ごえん》を防いでいる。

⑤× 食道期は、食塊が食道の蠕動《ぜんどう》運動を経て、胃に運ばれていく時期である。

でる問 54　正解①

☞ 問題 P.75

①○ 機能性尿失禁は、排尿機能は正常であるものの、身体機能や認知機能の低下が原因となって生じる。事例のDさんについては、アルツハイマー型認知症の影響で認知機能が低下し、トイレを探すことができず、迷っている間に失禁してしまったと推測できる。

②× 腹圧性尿失禁は咳《せき》やくしゃみ、重たい荷物を持つ等、腹圧をかけた状態で尿が漏れることをいう。

③× 心因性頻尿は、緊張して頻回に尿意を催す状態をいう。

④× 反射性尿失禁は、尿が溜《た》まって反射的に起こる失禁のことである。

⑤× 溢流《いつりゅう》性尿失禁は、尿が出にくく、残った尿がじわじわと流れ出る状態をいう。

でる問 55　正解④

☞ 問題 P.75

①× 湯温が42℃以上の熱めのお湯に入った場合には直後に血管が収縮し血圧が急上昇する。急激な血圧変動を防ぐために湯温は38～39℃のぬるめのお湯にする。

②× 湯温が38～39℃のぬるめのお湯であれば一般的に心臓への負担が少なく、心拍数の上昇は見られない。

③× 38～39℃の湯温では、温熱刺激により新陳代謝が促進され、老廃物の排出も促進される。膀胱《ぼうこう》の働きも活発になり、収縮されて排尿も亢進《こうしん》される。

④○ 副交感神経が優位の状態となり、消化機能が亢進される。

⑤× 温熱刺激により筋肉が弛緩《しかん》し、疲労回復の効果がある。

でる問 56　正解③

☞ 問題 P.76

①× 高齢者の場合、夜間の睡眠時間は、一般的に短くなる傾向にある。

②× 高齢者の場合、深い眠りが減少し、浅い眠りが増える。つまり、深睡眠が減少することで、深眠感や熟眠感も低下することになる。

③○ 高齢者の場合、中途覚醒《かくせい》によって夜中に何度も目覚めることが多い。これによって、睡眠周期は乱れて不規則になりやすい。

④× 高齢者の場合、入眠障害によって、入眠するまでに時間がかかることが多い。

⑤× 高齢者の場合、熟眠障害によって、深い眠りが減少し、浅い眠りが増えるため熟睡感は低下する傾向にある。

でる問 57　正解③

☞ 問題 P.76

①× 臨終期には、心臓や腎臓《じんぞう》の機能低下や低栄養等、様々な状態から浮腫《ふしゅ》が現れることがある。

②× 臨終期では、呼吸のリズムも深さも不規則になる。死の直前にみられるのは、チェーンストークス呼吸、肩呼吸、下顎《かがく》呼吸である。

③○　臨終期では、身体が衰弱して痰《たん》を自力で出すことが困難になるため、喉《のど》からゴロゴロする音が聞かれることがある。

④×　臨終期では、腎臓機能も低下するため、尿量は減少する。

⑤×　臨終期には、体温が低下することが多いので、手足は冷たくなる。

⑨発達と老化の理解

でる問 58　正解②

☞ 問題 P.77

①×　他者の援助に依存して受け身的になることは、安楽《あんらく》椅子《いす》型（依存型）である。

②○　年をとることをありのまま受け入れていくことは、適応型の円熟型（統合型）である。

③×　責任から解放されることを好むのは、安楽椅子型（依存型）である。

④×　自分の過去に対して自分を責めるのは、不適応型の内罰型（自責型）である。

⑤×　若いときの積極的な活動を維持することは、老化への不安に対する自己防衛でもある。若いときの水準を守り、「まだまだ現役」と自分の殻にこもっていることから、防衛型（装甲型）という。

でる問 59　正解③

☞ 問題 P.77

①×　加齢に伴い視野周辺部の広範囲の動きや位置を漠然ととらえる周辺視野の範囲は狭まり、感度も低下する。

②×　高齢者の聴力には高音域の高周波の聴力の低下が著しく、音がひずんで聞こえるという特徴がある。

③○　加齢に伴う味蕾《みらい》の萎縮と減少により味覚の感受性は低下する。濃い味を好む傾向となる。

④×　加齢に伴い、末梢《まっしょう》神経や中枢神経の伝導速度の遅延が生じ、振動感覚は低下する傾向にある。

⑤×　加齢に伴い、ガスや尿臭、腐った食品の臭い等に気づきにくくなるなど、嗅覚《きゅうかく》の機能は低下する。

でる問 60　正解①

☞ 問題 P.78

①○　腰部脊柱管狭窄《ようぶせきちゅうかんきょうさく》症では下肢のしびれが生じ、重症化すれば歩行困難となる。また、「少し休むと歩けるようになる」という間欠性跛行《かんけつせいはこう》も特徴の１つである。

②×　サルコペニアとは、加齢に伴う筋肉量の減少と筋力の低下を指す。

③×　関節リウマチでは、関節に炎症が起こり、その結果、関節の痛みや腫れ、変形等が生じる。

④×　変形性膝《しつ》関節症では、O 脚に変形する。

⑤×　骨粗鬆《こつそしょう》症は女性に多い。

⑩認知症の理解

でる問 61　正解③

☞ 問題 P.79

①×　物盗《と》られ妄想では、家族や友人、知り合い等、本人の身近に存在する人が犯人とされることが多い。

②×　レビー小体型認知症による幻視は、はっきりしており、実際には見えないはずのものが見える状態を指す。

③○　昼間にウトウトし、夜間に眠れなくなる昼夜逆転は、BPSD の中の睡眠障害に含まれる。

④×　アパシーとは、感情の起伏がみられず、意欲や自発性がない状態を指す。

⑤×　BPSD に対する向精神薬の副作用により歩幅が狭くなり、転倒の危険性が増す。

でる問 62　正解⑤

☞ 問題 P.79

①×　アルツハイマー型認知症では早期から尿失禁は認められない。記憶障害や判断力の低下などが早期にみられる症状である。尿失禁は重度のアルツハイマー型認知症にはみられる。

②×　アルツハイマー型認知症では巣症状（失行・失認等）が中核症状である。

③×　レビー小体型認知症では比較的初期から具体的な幻視をみることが多いが、人格が大きく変化することはない。

④×　レビー小体型認知症では筋肉の固縮などパーキンソン病様症状がみられ、運動機能障害が認められる。

⑤○　クロイツフェルト・ヤコブ病は異常プリオンが脳内に侵入し、海綿状の空腔ができることにより脳機能障害が生じる。進行が速く、発症後１～２年で死に至る。

でる問 63　正解⑤

☞ 問題 P.80

①×　「話す」とは、利用者との安定した関係性を築くために、大きすぎない声量を意識したり、前向きな言葉を選んで話したりすることである。

②×　「オートフィードバック」とは、利用者から言葉の反応がないとき、介護福祉職が自ら行なっているケアの動きを前向きな語彙で実況することを指す。

③×　「触れる」とは、つかまず、手の広い面積で触れ、ゆっくりと動かすことで優しさを伝えることを意味する。

④×　「見る」とは、同じ目の高さで見ることで平等な存在であること、近くから見ることで親しい関係であること、正面から見ることで利用者に対して正直であることを伝えることを指す。

⑤○　「立つ」とは、立位をとる機会をつくり、骨に荷重

をかけて強くする、筋力低下を防ぐ、血液循環を良くする等の効果を引き出すことである。

でる問 64　正解②　☞ 問題 P.80

①×　認知症対応型共同生活介護（認知症グループホーム）は、地域密着型サービスの１つである。住み慣れた地域と切り離されることなく身近なコミュニティで暮らすことを目的とするため、地域と関わる機会は多い。

②○　家庭的な雰囲気があり、穏やかな日常生活を送ることが期待できる。

③×　１ユニットの人数は９名までである。

④×　食事作りや掃除等も機能訓練になり得る。そうした活動を日常生活の中に取り入れ、身体機能を維持していくことは重要である。

⑤×　利用者が自分らしく生活を送ることができるよう支援することが求められる。

⑪障害の理解

でる問 65　正解④　☞ 問題 P.81

①×　運動失調は、脊髄《せきずい》小脳変性症といった小脳に関連する疾患でみられることが多い。

②×　全身の臓器に炎症を起こす自己免疫疾患として、全身性エリテマトーデスが挙げられる。

③×　筋萎縮《いしゅく》性側索《そくさく》硬化症（ALS）は自己免疫疾患ではなく、脳から各部の筋肉に指令を出す運動ニューロン（運動神経細胞）が変性して機能しなくなる神経変性疾患の１つである。

④○　筋萎縮性側索硬化症（ALS）の場合、比較的保たれる機能として視力や聴力といった感覚、知性、膀胱《ぼうこう》・直腸機能等がある。また、褥瘡《じょくそう》も発生しにくい。

⑤×　振戦《しんせん》や筋固縮がみられる主な疾患はパーキンソン病である。筋萎縮性側索硬化症（ALS）では上下肢の筋力低下に加え、構音障害、嚥下《えんげ》障害、呼吸障害といった症状も出現する。

でる問 66　正解④　☞ 問題 P.81

①×　腕を肩より上にあげる動作は腹部を圧迫して呼吸を苦しくする。上着はかぶり式ではなく、前開きで伸縮性のある、ゆったりとした衣類を着る。

②×　入浴時は特に息苦しい。湯船には、みぞおち位の高さまでつかる。湯温もぬるめに設定し、浴槽の出入りはゆっくり息を吐きながら行う。

③×　食事は腹八分目にして回数を増やす。ゆっくり噛み、あわてずに飲み込む。

④○　ゆっくり息を吐きながら徐々に腹圧をかけていくので、洋式便器のほうがよい。

⑤×　自分のペースでゆっくり歩行する。歩行時だけでなく、日常の様々な活動時に口すぼめ呼吸を取り入れる。

でる問 67　正解①　☞ 問題 P.82

①○　中途失明者の場合には、視覚を失うことで、ほかの残存感覚についても自信を失いやすい。

②×　視覚障害者の手引き歩行では、その者の歩行ペースに合わせて誘導する必要がある。

③×　高齢期に失明した場合には、リハビリテーションの実施などによる支援が行われるが、加齢に伴って運動能力や適応能力が低下しているため、単独行動ができるようになるとは限らない。

④×　視覚障害者は、相手の表情などが確認できないため、コミュニケーションに不自由を生じる場合がある。

⑤×　視覚障害者が援助者との会話を録音するのは、メモ代わりに使用するためである。

でる問 68　正解①　☞ 問題 P.82

①○　統合失調症の陰性症状として、感情鈍麻《どんま》や無関心があり、何事にも無関心で、感情も乏しくなりやすい。

②×　誰かに支配されているような感覚を抱くなどの妄想は、統合失調症の陽性症状に分類されるものである。

③×　あるはずのない声が聞こえるなどの幻聴は、統合失調症の陽性症状に分類されるものである。

④×　危険な状態にあると思いこみ、強い不安や敵意を抱くなどの妄想は、統合失調症の陽性症状に分類されるものである。

⑤×　話の内容が次々に変わり、まとまりがないという行動は、統合失調症の陽性症状に分類されるものである。

でる問 69　正解①　☞ 問題 P.83

①○　ダウン症候群の難聴は伝音性難聴が一般的であるが、感音性または混合性難聴の場合もある。

②×　ダウン症候群では、筋緊張が弱く、乳児期はとても体が柔らかいことが特徴的である。

③×　高次脳機能障害はケガや病気により脳に損傷を受けたことによる障害であり、ダウン症候群の症状ではない。

④×　片麻痺《かたまひ》は脳出血や脳梗塞などにより脳細胞が壊死《えし》することにより生じる。

⑤×　ダウン症候群では心臓の異常が難聴とともに頻度の高い症状である。腎臓の機能異常に伴う腎障害は頻度が高くない。

でる問 70　正解④

☞ 問題 P.83

①×　自分で計画を立てて物事を実行することができないのは、遂行《すいこう》機能障害である。

②×　２つのことを同時にしようとして混乱するのは、注意障害である。

③×　新しいことを覚えられなくて何度も人に聞くのは、記憶障害である。

④○　些細なことで感情を爆発させるのは、社会的行動障害である。

⑤×　人に指示をしてもらわないと動けないのは、遂行機能障害である。

でる問 71　正解③

☞ 問題 P.83

①×　こだわり行動が本人や周囲に問題となる場合には、時間や場所を限定するなど介入が必要となる。

②×　不適切な行動には、強く制止するのではなく、どうすべきかを具体的に示し、根気よく促すことが大切である。

③○　時間や状況の変化に対応するのが苦手でパニックを起こしやすいため、予定の変更があるときは、メモや絵を使って視覚的に指示し、予告することにより見通しを与えることが大切である。

④×　一度にたくさんの情報を提供すると指示が伝わらないことがあるので、簡潔明瞭に具体的に指示する。

⑤×　パニックは混乱のしるしであるから、克服する訓練ではなく、パニックが起こりやすい状況を記録して何に困っているのかを理解する必要がある。

⑫医療的ケア

でる問 72　正解④

☞ 問題 P.84

①×　一定の要件を満たした介護福祉士であっても、医師の指示がなければ、喀痰《かくたん》吸引と経管栄養は実施できない。

②×　介護福祉士が行う口腔《こうくう》内の喀痰吸引の範囲は咽頭《いんとう》の手前までを限度とする。

③×　医療的ケアは、自宅のほか、病院や介護老人福祉施設、介護老人保健施設、障害者支援施設、特別支援学校等でも行うことができる。

④○　医師法第 17 条では、「医師でなければ医業をなしてはならない」と、医師が医行為を業務として行うことが規定されている。

⑤×　医師または歯科医師が自ら行わなければならない行為を、絶対的医行為という。

でる問 73　正解②

☞ 問題 P.84

①×　各利用者の状態で吸引時間は異なる。そのため、痰《たん》のゴロゴロという音が聞こえた場合には、医師や看護師との連携を密にとり、その利用者の症状に応じた吸引を行う必要がある。

②○　鼻腔《びくう》内吸引の場合、鼻腔内に加え、口腔《こうくう》内の状態や鼻腔から咽頭《いんとう》にかけての貯留物の位置、むせ込みの有無、全身状態、利用者の訴えも含めて総合的に観察する。

③×　口腔内吸引の場合、口腔内に加え、義歯の状態やむせ込みの有無、全身状態、利用者の訴えも含めて総合的に観察する。

④×　喀痰《かくたん》吸引を実施するかどうかの最終的な判断をするのは医師である。

⑤×　喀痰吸引を行う直前にも実施者は必ず利用者の状態について観察する。

でる問 74　正解⑤

☞ 問題 P.85

①×　人工呼吸器は停電すると作動しなくなるため、予備のバッテリーを確保しておく必要がある。

②×　非侵襲《ひしんしゅう》的人工呼吸療法は、口・鼻または鼻のみを覆うマスクを通して酸素を送りこむことをいう。一方、侵襲的人工呼吸療法とは、気管切開により気管カニューレを挿入して酸素を送り込むことである。

③×　人工呼吸器には、何かしらの異常を察した時に知らせてくれるアラーム機能がある。アラームが鳴った場合には、アラームの消音を先に行うのではなく、利用者の状態確認とアラームが鳴った理由を確認することが先決である。

④×　人工呼吸器をしている利用者であっても、口腔《こうくう》内や鼻腔《びくう》内、呼吸状態などの観察は非常に重要である。

⑤○　気管カニューレを挿入している利用者等に対しては、室内の乾燥を防ぎ、適切な湿度調整を行うことで喀痰《かくたん》の排出を促すことが必要である。

でる問 75　正解⑤

☞ 問題 P.85

①×　介護福祉士の判断で抜けた部分を元に戻してはならない。看護職に連絡・報告する。

②×　介護福祉士の判断でチューブを鼻から抜いてはならない。看護職に連絡・報告する。

③×　介護福祉士は、経鼻経管栄養チューブが胃内に挿入されているかどうかを気泡音で確認するのではなく、看護職に連絡・報告する。

④×　経鼻経管栄養チューブの先端がどこに入っているのか分からないため、そのまま栄養剤を注入するのは危険である。

⑤○　そのままの状態で注入を行わず、看護職に連絡・報告することが適切な対応である。

絶対でるキーワード（45）

ここでは、過去５年間の試験問題を分析し、あやふやな理解になりがちなカタカナ語・省略語と、おさえておくべき頻出項目に関係する用語をまとめています。第 37 回試験で特に注意しておきたいキーワード 45 語を厳選してあります。「組合せ問題」対策にも非常に有効ですので繰り返し確認して、試験本番までに最低限これだけは覚えておきましょう。

❶ ヒヤリ・ハット

医療や介護の場などで、「重大な[1]には至らなかったものの重大な[1]に発展しかねなかった状況」のこと。ヒヤリとしたりハッとしたことから作られた言葉で、ハインリッヒによれば、１つの重大な事故の背景には、軽微な事故が 29 件、ヒヤリ・ハットが[2]件あるとされている。

❷ リスクマネジメント

さまざまなリスク（危険）を想定し、効率よく[3]するための対応をいう。介護場面においては、「[4]を未然に防ぐための取り組み」という意味で用いられることが多い。

❸ ストレスマネジメント

自分に合った適切なストレスへの[5]を持つことで、ストレスを[6]したり回避したりすること。問題焦点型コーピングでは、トラブルの[7]に働きかけて解決を試みる。労働安全衛生法では、労働者数[8]人以上の事業者に対して[9]が義務づけられている。

答え　1：事故　2：300　3：回避　4：介護事故　5：対処法　6：軽減　7：原因　8：50
9：ストレスチェック

❹ アドボカシー

自らの[1]を主張することが困難な弱い立場にある人（障害者や認知症高齢者など）の代わりに、その[1]を守るために主張や代弁を行うこと。日本語では[2]ともいわれる。

❺ ソーシャルインクルージョン

すべての人々を孤独や孤立、排除や摩擦から援護し、同じ社会の[3]として包み込み、共に[4]社会を目指すこと。日本語では[5]ともいわれる。

❻ エンパワメント

[6]が提唱した援助技術で、本人（クライアント）が本来持っている[7]な力や可能性に着目し、その力を引き出して積極的に利用、援助することをいう。

❼ ナショナルミニマム

[8]が社会保障その他の公共政策によって[9]に保障する[10]のこと。今日では所得保障だけではなく、教育、住宅や環境なども含めて考えられている。

❽ ノーマライゼーション

たとえ障害があろうとも、他の人と同じ[11]の生活・権利が保障されるよう、[12]の改善を図るという理念・運動のこと。デンマークの[13]が提唱し、スウェーデンの[14]が「8つの原理」をまとめた。アメリカでは、ヴォルフェンスベルガーが独自に理論化し、[15]（価値のある社会的役割の獲得）を提唱した。

答え
1：権利　2：権利擁護　3：構成員　4：支え合う　5：社会的包摂　6：ソロモン　7：潜在的　8：国
9：国民　10：最低生活水準　11：普通（ノーマル）　12：社会条件・環境　13：バンク - ミケルセン
14：ニィリエ　15：ソーシャルロール・バロリゼーション

9 インフォームドコンセント

一般的に「[1]に基づく[2]」と訳される。具体的には、利用者や家族が治療方針や支援内容・方法等について十分な[1]を受けて理解したうえで[2]することを意味する。

10 アセスメント

利用者に関する[3]収集を意図的に行い、その[3]に基づき、利用者の[4]（ニーズ）を明確にすることである。その際は、利用者やその家族から得られる[3]に加え、[5]等からの[3]も活用する。一般的に[4]は複数抽出されるため、[6]をつける。

11 アドバンス・ケア・プランニング

[7]決定能力が低下した場合に備え、利用者が望む生活や医療・ケアの方針について、事前に利用者、家族、医師、看護師、介護職員等が一緒に話し合いを[8]ことである。そのうえで、本人の[7]を[9]として書面に残す取り組みも行われている。

12 デスカンファレンス

利用者の[10]に介護福祉職や看護師、介護支援専門員等が参加して行われる。[11]を振り返り、職員同士で悲しみを共有して支え合う[12]としての意味もある。通常、他の業務にも支障がない時間帯に行う。

13 ストレングス

本人の意欲（～したいこと）、嗜好（～好きなこと）、[13]（～できること）等、本人が持っている[14]のこと。利用者と関わったり、支援したりする際は、利用者のできないことや足りない部分だけに着目するのではなく、その人自身の[14]にも焦点を当てるようにする。

答え
1：説明　2：同意　3：情報　4：生活課題　5：他職種　6：優先順位　7：意思　8：繰り返す
9：リビングウィル　10：死後　11：ケア　12：グリーフケア　13：能力　14：強み

⑭ スーパービジョン

経験豊かな援助者が、経験の浅い援助者に対して、援助について教育的な指導や訓練を行うこと。指導する側の人を［ 1 ］、指導される側の人を［ 2 ］という。

⑮ ユニバーサルデザイン

障害者や高齢者が生活するうえで支障となる物理的障壁や制度的障壁等を取り除く［ 3 ］に対して、［ 4 ］に最初から使いやすい施設・製品・情報等の設計を指す。公平、わかりやすい、安全、弱い力でも使える等の7原則がある。

⑯ パーソンセンタード・ケア

認知症ケアの1つで、認知症を持つ人を「一人の［ 5 ］」として［ 6 ］し、その人の立場に立って考え、その人らしく暮らせるように援助すること。

⑰ PDCAサイクル

Plan（［ 7 ］）→ Do（実行）→ Check（［ 8 ］）→ Action（［ 9 ］）を繰り返す中で、施設・事業所での課題発見とその解決を図るプロセスである。感染症・災害対策として施設・事業所に策定が義務づけられた［ 10 ］（業務継続計画）も、このプロセスに則って進める。

⑱ クーリングオフ

訪問販売、電話勧誘販売、［ 11 ］商法などにより商品を購入したり、クレジットや保険の契約を行った場合、一定の期間内に消費者が申し出ることによって無条件で［ 12 ］できる制度。店舗販売や通信販売は原則として対象とならない。

答え

1：スーパーバイザー　2：スーパーバイジー　3：バリアフリー　4：すべての人　5：人間　6：尊重
7：計画　8：評価　9：改善　10：BCP　11：マルチ　12：解約

⑲ ヒートショック

温度の急激な変化により［ 1 ］や［ 2 ］が大きく変動し、体が大きな影響を受けること。外気温と室温が大きく異なる冬期には、入浴前後や入浴中、トイレへの移動や使用中に、［ 3 ］や［ 4 ］などを引き起こすことがある。

⑳ スタンダードプリコーション

感染症の有無にかかわらず、すべての患者・利用者の支援に際して普遍的に適用する［ 5 ］。感染の危険性があるものとして取り扱う対象は、血液、［ 6 ］以外の体液・分泌液（唾液《だえき》、鼻汁、痰《たん》、涙、嘔吐《おうと》物等）、排泄《はいせつ》物（尿・便）、創傷皮膚、粘膜等である。

㉑ チアノーゼ

血液中の［ 7 ］濃度の低下によって爪や口唇が［ 8 ］色に変化した状態のこと。血液中の酸素濃度は［ 9 ］で測ることができ、結果として経皮的動脈血酸素飽和度（SpO_2）が算出される。一般的に健康な人の場合、SpO_2 の基準値は 96 ～ 99% となる。

㉒ レム睡眠

筋肉が緩み、［ 10 ］は眠っているのに［ 11 ］は覚めている状態の睡眠をいう。急速眼球運動を伴い、［ 12 ］をみる。レム睡眠中は［ 13 ］が活発となり、心拍数、血圧、呼吸などが増加する。

㉓ ノンレム睡眠

［ 14 ］の活動が低下した深い睡眠状態をいう。ノンレム睡眠中は、筋肉の緊張は保たれているものの［ 15 ］が活発となり、心拍数や血圧などは落ち着き、体温や代謝は低下する。

答え

1：血圧　**2：**脈拍（1、2 順不同）　**3：**脳卒中　**4：**心筋梗塞（3、4 順不同）　**5：**標準予防策　**6：**汗　**7：**酸素　**8：**青紫　**9：**パルスオキシメーター　**10：**身体　**11：**脳　**12：**夢　**13：**交感神経系　**14：**脳　**15：**副交感神経系

24 腹圧性尿失禁

骨盤底筋群の［ 1 ］が原因となり、咳《せき》やくしゃみなどで［ 2 ］がかかったときに起こる尿失禁。中高年の［ 3 ］に多い。骨盤底筋群を鍛えることで症状の改善が望める。

25 溢流《いつりゅう》性尿失禁

排尿したくても自力では尿が出しにくく、膀胱《ぼうこう》から少しずつ漏れ出す尿失禁。［ 4 ］により尿道が圧迫されることで起こることが多く、［ 5 ］に多くみられる。

26 切迫《せっぱく》性尿失禁

高齢者に最も多い尿失禁で、［ 6 ］の収縮異常により急に尿意をもよおし、トイレまで我慢できずに漏れてしまうもの。男女ともに起こりやすく、［ 7 ］を伴うことが多い。

27 機能性尿失禁

膀胱《ぼうこう》や尿道に異常はないものの、［ 8 ］の障害により排《はい》泄《せつ》動作が適切にできない場合や、［ 9 ］により排泄の判断や行動ができず、尿意をうまく伝えられないことなどにより生じる。

28 反射性尿失禁

脊髄《せきずい》損傷や脳血管障害などにより、尿意を伝える［ 10 ］に障害がある場合、膀胱《ぼうこう》に尿が溜《た》まると反射的に膀胱が収縮して、本人の意思とは関係なく［ 11 ］に尿が出る尿失禁。

29 レスパイトケア

要支援・要介護高齢者や障害児・者等を居宅で介護している［ 12 ］の介護疲労を軽減するために［ 13 ］を提供することを目的に行われる。介護保険サービスでは、短期入所生活介護（ショートステイ）や通所介護（デイサービス）など。

答え

1：筋力低下　2：腹圧　3：女性　4：前立腺《ぜんりつせん》肥大症　5：男性　6：膀胱《ぼうこう》　7：頻尿　8：身体運動機能　9：認知症　10：神経　11：反射的　12：家族　13：休養

30 理学療法士（PT）

[1]に障害のある人に対し、医師の指示のもと、治療体操などの運動や、電気療法・温熱療法・マッサージ・牽《けん》引《いん》などの[2]を用いて、基本的動作能力の回復を図る国家資格の専門職。

31 作業療法士（OT）

身体または[3]に障害のある人に対し、医師の指示のもと、紙細工・手芸・工作など、その人に適した[4]を通して、日常生活を送る上で必要な機能の回復を図る国家資格の専門職。

32 言語聴覚士（ST）

音声機能、言語機能または[5]に障害のある人に対し、その機能の維持向上を図るため、[6]その他の訓練、検査や助言、指導その他の援助を行う国家資格の専門職。

33 介護支援専門員（ケアマネジャー）

相談援助や[7]の手法を用いて関わる中で、各利用者に応じた[8]（ケアプラン）を作成し、家族や市町村、施設・事業所等との連絡調整を行う。居宅サービス計画を作成する際は[9]会議を開催する。資格の更新制がとられ、介護支援専門員証の有効期間は[10]年である。

34 相談支援専門員

一般[11]事業所や特定[11]事業所等に配置され、障害者やその家族等の相談に応じ、[12]計画を作成する。そのほか、地域生活への移行・定着への支援や関係機関との連絡[13]等を行う。

答え
1：身体　2：物理的手段　3：精神　4：作業　5：聴覚　6：言語　7：ケアマネジメント
8：介護サービス計画　9：サービス担当者　10：5　11：相談支援　12：サービス等利用　13：調整

35 感覚記憶

感覚を通して伝わる情報を[1]に保持する最も保持期間の短い記憶。その中で注意を向けられた情報だけが[2]として保持される。

36 短期記憶

感覚記憶を[3]にとどめておく記憶で、その後何もなければ忘れてしまう。[4]に伴い低下する。

37 長期記憶

数分から[5]にわたって保持される記憶で、容量の大きさに[6]はない。長期記憶には、[7]で表現できる陳述記憶（エピソード記憶、意味記憶）、[7]で表現できない非陳述記憶（手続き記憶、プライミングなど）が含まれる。

38 エピソード記憶

個人が経験した[8]についての記憶。認知機能が低下すると早期に障害されるが、[9]といわれるかなり昔の記憶については保持される。

39 意味記憶

ものや人の名前、一般的な[10]など、意味を持つ情報についての記憶。[11]の繰り返しにより形成され、内容のみが記憶として残る。加齢によっても低下しにくい。

40 手続き記憶

自転車の乗り方や踊りなどのように、同じ経験を反復することにより[12]で覚える記憶。いったん形成されると[13]して自動的に機能し、長期間保たれる。

答え

1：瞬間的（1～2秒）　2：短期記憶　3：一時的（数十秒）　4：加齢　5：一生　6：制限　7：言葉
8：出来事　9：遠隔記憶　10：知識　11：経験　12：体　13：定着

41 アルツハイマー型認知症

脳の［ 1 ］により認知機能が著しく低下したもので、記憶障害、思考力や判断力の低下、見当識障害などがみられる。進行は［ 2 ］で、徘徊《はいかい》や妄想など、さまざまな［ 3 ］が現れる。［ 4 ］に多いとされる。

42 血管性認知症

脳出血や脳梗塞などの脳血管疾患により脳の一部が［ 5 ］したことで生じる。記憶力や判断力などの程度にムラがみられることから［ 6 ］ともいわれる。進行は［ 7 ］で、［ 8 ］に多いとされる。

43 レビー小体型認知症

脳の神経細胞に特殊な［ 9 ］が異常沈着することで発症する。リアルな［ 10 ］が現れることが特徴で、比較的早くから「うつ」や嗅覚《きゅうかく》低下がみられ、視覚認知障害も起こる。

44 前頭側頭型認知症

脳のうち［ 11 ］と［ 12 ］に限定して萎縮《いしゅく》がみられる。記憶障害はあまりみられないが、理性で行動を抑制することができなくなり、［ 13 ］が起こる。

45 若年性認知症

［ 14 ］歳未満で起きた認知症で、［ 15 ］型の割合が高い。統合失調症などの［ 16 ］とされて診断が遅れることもある。また、働き盛りに就労が困難になるため、［ 17 ］に困窮しやすいことが問題となる。

答え

1：萎縮《いしゅく》　**2：**緩徐　**3：**BPSD（行動・心理症状）　**4：**女性　**5：**壊死《えし》　**6：**まだら認知症　**7：**段階的
8：男性　**9：**たんぱく質（レビー小体）　**10：**幻視　**11：**前頭葉　**12：**側頭葉（11、12 順不同）
13: 人格変化　**14：**65　**15：**アルツハイマー　**16：**精神疾患　**17：**経済的

○×式 即答で鍛える

4 領域 12 科目＋総合問題

合格への近道は、なんといっても問題数を多く解くこと。ここでは、過去に出題された問題をもとに、特に重要な設問を科目別に○×式で答える問題に編集しました。解説もしっかり読んで、即答できるくらいになるまで繰り返し解いてください。現在もっている知識の確認だけでなく、試験直前の最終チェックにもオススメです。

領域Ⅰ：人間と社会……110
領域Ⅱ：介護……115
領域Ⅲ：こころとからだのしくみ……123
領域Ⅳ：医療的ケア……130
総合問題……132

○×式 即答で鍛える

①人間の尊厳と自立
②人間関係とコミュニケーション
③社会の理解

領域Ⅰ：人間と社会

①人間の尊厳と自立

□ **1** 1960年代後半からアメリカで展開された自立生活（IL）運動は、障害者自身の選択による自己決定の尊重を主張している。

1 IL運動は、障害者が自立した生活を送る権利を主張した社会運動であり、自己決定の尊重を訴えた。 ○

□ **2** 障害者差別解消法では、民間事業者に対し、障害のある人への合理的配慮を法的義務として定めている。

2 合理的配慮の提供は、行政機関は義務、民間事業者は努力義務だったが、2024（令和6）年4月より民間事業者にも義務化された。 ○

□ **3** 1957（昭和32）年に起きた朝日訴訟で焦点となったのは、日本国憲法が規定する幸福追求権である。

3 朝日訴訟は、憲法第25条第1項の生存権が焦点となった。幸福追求権は、憲法第13条に規定されている。 ×

□ **4** アドボカシーとは、ケアする人とされる人の相互作用により双方がともに人として成長する関係性を意味する。

4 メイヤロフが、著書『On Caring』で初めて記したケアリングの説明である。アドボカシーとは代弁や権利擁護を指す。 ×

□ **5** 車いすを使用している人がバスに乗車する際、障害者差別解消法に基づき、支援を依頼された乗務員が身体障害者手帳の提示を求めて乗車を許可した。

5 法の対象は障害者手帳の所持者に限定されない。身体障害者手帳の提示を求めて乗車を許可したことは、手帳がなければ乗車を拒否することになるともいえ、不当な差別的取り扱いにつながるおそれがある。 ×

□ **6** 心理的虐待《ぎゃくたい》には、衰弱させるような著しい減食、または長時間の放置を行うことが該当する。

6 衰弱させるような著しい減食や長時間の放置は、ネグレクト（放置・放棄）に該当する。 ×

□ **7** 任意後見制度では、任意後見監督人の判断により、任意後見人を解任することができる。

7 任意後見人の解任は、家庭裁判所が行う。 ×

□ **8** 保佐人は、本人の同意のもと、家庭裁判所の審判を経て、本人に代わって行う代理権を得ることができる。

8 家庭裁判所は、保佐人に対し、本人が申し立てた特定の法律行為について代理権を与えることができる。 ○

□ **9** 日常生活自立支援事業の実施主体は、市町村である。

9 日常生活自立支援事業の実施主体は、都道府県社会福祉協議会および指定都市社会福祉協議会である。　×

□ **10** 日常生活自立支援事業では、生活支援員が利用援助契約を行う。

10 日常生活自立支援事業では、専門員が初期相談や利用援助契約などを行い、生活支援員が実際の支援を行う。　×

□ **11** ノーマライゼーション（normalization）を実現するためには、普通の生活が送れるよう、社会条件を整える必要がある。

11 ノーマライゼーションでは、たとえ障害があっても、他の人と同じ普通の生活を送ることができるように生活環境や社会条件を改善していくことが求められる。　○

②人間関係とコミュニケーション

□ **1** 自己覚《かく》知《ち》とは、援助者が利用者の性格や行動傾向などを認識することをいう。

1 自己覚知とは、援助者が自分自身の性格、行動傾向、価値観、感情などを客観的に認識することをいう。　×

□ **2** ラポール形成の初期段階では、利用者の家庭環境を詳しく聞く。

2 初期段階で、家庭環境を詳しく聞くことは利用者が援助者に対し、不信感を抱くおそれがある。ラポール形成の初期段階では利用者に関心があるという姿勢を示すことが重要である。　×

□ **3** 自己開示は、ジョハリの窓（Johari Window）の「開放された部分」（open area）を狭くするために行う。

3 自己開示は、ジョハリの4つの窓のうち「開放された部分」を大きくするために行う。　×

□ **4** コーチングとは、リーダーの意思決定に誤りがあった場合に提言を行う等、自主的にリーダーや他のメンバーに働きかけることである。

4 フォロワーシップの説明である。コーチングとは、相手の話をよく聴き、適切な対応をとる中でその人の能力を引き出し、目標を達成できるように導くことである。　×

□ **5** 施設で実施した夏祭りの感想を利用者や家族から聞くことは、PDCAサイクルのCheckに該当する。

5 計画（Plan）して実行（Do）した夏祭りの感想を聞くことはPDCAサイクルのCheck（評価）に該当する。評価に基づき、より良いものに改善（Action）していく必要がある。　○

□ **6** 対人距離は、非言語的コミュニケーションに含まれる。

6 非言語的コミュニケーションには、対人距離、表情、しぐさなどが含まれている。　○

□ **7** 高齢者とのコミュニケーションでは、たくさんの人がいる、にぎやかな場所で話すようにする。

7 高齢者は聴力が衰えていることが多いため、にぎやかな場所では話が聞き取りにくい。静かな場所が望ましい。　×

□ **8** 聴覚障害のある利用者と介護福祉職との間での筆談の際には、空中に字を書くことは控える。

8 長い文章には向かないが、短い言葉であれば、空中に字を書くことも有効である。　×

□ **9** 家族介護者が「介護におわれる毎日でとてもつらいです」と介護福祉職に話したことに対し、「つらい気持ちなのですね」と返答することは、感情の反射に該当する。

9 感情の反射とは、相手の気持ちを受け止め、その気持ちを相手に言葉で伝えることをいう。 ○

□ **10** レクリエーション活動を休むことが多くなった利用者が「次回は参加します」と言いながらも浮かない表情をしていた際に、介護福祉職が「自分の気持ちを我慢しなくてもいいですよ」と伝えたのは、バイステック（Biestek, F.）の７原則のうち意図的な感情表出に該当する。

10 意図的な感情表出は、利用者が感情を自由に表現できるように援助者が意図的に関わることである。なお、バイステックの７原則は対人援助技術の基本手法となっており、①個別化、②自己決定、③受容、④非審判的態度、⑤意図的な感情表出、⑥統制された情緒的関与、⑦秘密保持がある。 ○

③社会の理解

□ **1** 地域包括ケアシステムを支える互助の内容として、介護保険制度における介護サービスの利用が挙げられる。

1 当該サービスの利用は共助に位置づけられる。互助の内容としては地域住民の支え合い等が該当する。なお、互助、共助のほかに自助と公助がある。 ×

□ **2** 地域共生社会が目指すものは、公的サービスに重点を置いた地域福祉の充実である。

2 地域共生社会では、すべての住民が支え合い、自分らしく活躍できる地域コミュニティの創出を目指している。 ×

□ **3** 2018（平成30）年度に創設された共生型サービスの対象として、介護保険制度では訪問看護、通所介護（デイサービス）、短期入所生活介護（ショートステイ）が該当する。

3 介護保険制度の中で対象となる共生型サービスには、訪問介護（ホームヘルプサービス）、通所介護、短期入所生活介護等がある。一方、障害者総合支援法では居宅介護、重度訪問介護、生活介護、短期入所等が該当する。 ×

□ **4** 障害者総合支援法における障害支援区分の審査および判定を行う場合、市町村審査会は、その対象となる障害者の家族に意見を聴くことができる。

4 障害支援区分（区分１～６）の審査および判定を行うにあたり、必要があると認める場合は障害者本人に加え、家族や医師等の意見を聴くことができる。 ○

□ **5** 特定非営利活動法人（NPO法人）のうち認定特定非営利活動法人（認定NPO法人）は、税制上の優遇措置を受けることができる。

5 認定NPO法人には、寄付税制における優遇措置が設けられている。なお、NPO法人、認定NPO法人ともに収益事業課税（法人税）の特定非営利活動に係る事業については原則として非課税である。 ○

□ **6** 通勤途上の事故は労働者災害補償保険（労災保険）の給付対象となる。

6 保険給付の対象である。ただし、通勤途中の寄り道などでの事故に対しては、保険給付の対象外となる場合もある。 ○

□ **7** 我が国の社会保険の１つとして、介護保険がある。

7 我が国の社会保険には、介護保険、医療保険、年金保険、雇用保険、労働者災害補償保険がある。 ○

□ **8** 2000（平成 12）年度以降の社会保障給付費に占める介護対策の割合は増加傾向にある。

8 介護保険制度が施行された 2000（平成 12）年度から、社会保障給付費に占める介護対策の割合は増加傾向にある。　○

□ **9** 65 歳以上で寝たきり等の一定の障害があると認定された人に対して適用される公的医療制度として後期高齢者医療制度がある。

9 後期高齢者医療制度は 75 歳以上の人、または 65 歳以上 74 歳以下で寝たきり等の一定の障害があると認定された人を対象としている。　○

□ **10** 介護保険制度における地域ケア会議の目的は、居宅サービス計画の作成である。

10 地域ケア会議の目的は、①地域支援ネットワークの構築、②高齢者の自立支援に資するケアマネジメント支援、③地域課題の把握などを行うことである。居宅サービス計画は、一般的に介護支援専門員（ケアマネジャー）等が作成している。　×

□ **11** 介護保険法第 1 条には、福祉サービス利用者の利益の保護及び地域福祉の推進を図ることが規定されている。

11 同条には、介護が必要となった者等が尊厳を保持し、自立した日常生活を営めるよう、保険給付を行うこと等が明記されている。設問は、社会福祉法第 1 条である。　×

□ **12** 介護保険制度の第 2 号被保険者への加入は、任意である。

12 介護保険制度は、要件を満たした場合に自動的に加入する強制保険である。　×

□ **13** 2015（平成 27）年 4 月に施行された介護保険制度の改正によって、特別養護老人ホームの新規入所の要件が原則として「要介護 3」以上の者とされた。

13 ただし、要介護 1 や 2 の者であっても、やむを得ない事情により特別養護老人ホーム以外での生活が著しく困難であると認められる場合には、特例的に入所が認められることもある。　○

□ **14** 2020（令和 2）年 6 月に成立した社会福祉法等の改正では、市町村に相談支援、参加支援、地域づくりに向けた支援を一体的に実施する重層的支援体制整備事業を新たに創設した。

14 包括的な支援体制の整備の中で創設されている。このほか、地域特性に応じた認知症施策や介護サービス提供体制の整備、医療・介護のデータ基盤の整備、社会福祉連携推進法人の創設等が盛り込まれた。　○

□ **15** 介護保険制度の第 1 号被保険者保険料は、特別徴収の方法によって納付しなければならない。

15 介護保険制度の第 1 号被保険者保険料は、所得に応じて特別徴収または普通徴収の方法によって納付する。　×

□ **16** 市町村は、要介護認定の結果を当該被保険者に通知しなければならない。

16 市町村は、要介護認定の結果をその被保険者に通知し、被保険者証を返付する。　○

□ **17** 介護保険制度の保険給付は、介護給付、予防給付、都道府県特別給付で構成されている。

17 介護給付、予防給付、市町村特別給付の 3 つで構成されている。　×

□ **18** 介護保険制度における保険者の役割として、保険給付に関する事務がある。

18 保険給付に関する事務は、保険者（市町村および特別区）が行う。　○

□ **19** 介護保険審査会の設置主体は、市町村社会福祉協議会である。

19 介護保険審査会の設置主体は、都道府県である。 ×

□ **20** 社会保障給付費における給付の内訳を部門別にみると「医療」の構成割合が最も大きい。

20 社会保障給付費の給付は「年金」が最も多く、次いで「医療」、「福祉その他」となっている。 ×

□ **21** 都道府県介護保険事業支援計画は、医療計画との整合性の確保が図られたものでなければならない。

21 都道府県介護保険事業支援計画は、都道府県計画および医療計画との整合性の確保が図られたものでなければならない。 ○

□ **22** 障害者総合支援法によるサービスは、「自立支援給付」と「地域生活支援事業」の２つから構成されている。

22 介護給付や訓練給付等を行うのが「自立支援給付」であり、相談支援等を行うのが「地域生活支援事業」である。 ○

□ **23** 地域活動支援センターは、障害者の医学的・心理的判定を行う。

23 地域活動支援センターは、障害者等を通わせて、創作的活動や生産活動の機会の提供、社会との交流の促進などを供与する施設である。 ×

□ **24** 障害者総合支援法の規定により、地方公共団体が設置する協議会の機能の１つとして、障害福祉計画の策定がある。

24 同法において協議会は障害福祉計画を策定せず、都道府県と市町村が国の定める基本指針に即して策定する。その際、都道府県と市町村は協議会の意見を聴くよう努めなければならない。 ×

□ **25** 障害福祉サービス事業者の指定は、市町村長が行う。

25 障害福祉サービス事業者の指定は、都道府県知事が行う。 ×

□ **26** 介護予防・日常生活支援総合事業には、権利擁護事業が含まれる。

26 権利擁護事業は、地域支援事業における包括的支援事業の中に含まれる。地域支援事業における介護予防・日常生活支援総合事業には第一号訪問事業（訪問型サービス）、第一号通所事業（通所型サービス）等が含まれる。 ×

□ **27** 介護福祉職が自閉症スペクトラム障害のある利用者と一緒に散歩に行き、移動中の危険回避等の支援を行う障害福祉サービスは同行援護である。

27 同行援護では、視覚障害で移動に著しい困難を有する人を対象に外出支援を行う。自閉症スペクトラム障害等の発達障害により常時介護が必要な人を対象に外出支援を実施するのは行動援護である。 ×

□ **28** 生活保護法における無差別平等の原理とは、資産・能力等を活用したうえで保護を行うことである。

28 補足性の原理についての説明である。無差別平等の原理とは、すべての国民に無差別平等な保護を行うことである。 ×

□ **29** 社会福祉法人には、事業運営の透明性を高めるために財務諸表を公表することが義務づけられている。

29 社会福祉法改正に伴い、2017（平成 29）年度より、事業運営の透明性の向上を図るため、財務諸表や現況報告書等を公表することが義務づけられた。 ○

○×式 即答で鍛える

④介護の基本
⑤コミュニケーション技術
⑥生活支援技術
⑦介護過程

領域Ⅱ：介護

④介護の基本

□ **1** 介護福祉士は、その業を辞した後は秘密保持義務が解除される。

1 介護福祉士の業務を辞めた後も秘密保持義務が課せられる。　×

□ **2** 介護福祉士国家試験に合格した日から、介護福祉士を名乗ることができる。

2「介護福祉士」と名乗れるのは、介護福祉士登録簿に氏名、生年月日等の事項の登録を受けた者である。　×

□ **3** 介護福祉士は、信用失墜《しっつい》行為をした場合、罰則により 1 年以下の懲役または 30 万円以下の罰金に処せられる。

3 設問は秘密保持義務違反の場合に課せられる。信用失墜行為をした場合、厚生労働大臣は介護福祉士の登録の取り消し、または期間を定めて介護福祉士の名称の使用の停止を命じることができる。　×

□ **4** 介護福祉士に課せられている誠実義務の内容として、常に担当する利用者の立場に立って業務を行うことが挙げられている。

4 社会福祉士及び介護福祉士法第 44 条の 2 に「常にその者の立場に立つて、誠実にその業務を行わなければならない」と誠実義務が規定されている。　○

□ **5**「車いすを使用して、美術館に行く」は、国際生活機能分類（ICF）の視点に基づく環境因子と心身機能の関連を表す記述となる。

5 ICF における「活動」の中には福祉用具を用いての移動も含まれる。一方「美術館に行く」は地域社会への参加となるため、「参加」を表す。　×

□ **6** ヒヤリ・ハット事例の収集・分析が、事故を防ぐことにつながる。

6 ヒヤリ・ハットとは、重大な事故には至らなかったものの、事故の一歩手前の「ヒヤリ」「ハッ」とした経験を指す。　○

□ **7** リハビリテーションは、スウェーデンのニィリエによって定義された。

7 ニィリエが定義したのは、ノーマライゼーションの 8 つの原理である。　×

□ **8** 多職種連携には民生委員やボランティアも含まれる。

8 民生委員、ボランティア等も含まれる。○

□ **9** 訪問介護員が利用者の処方薬を病院や薬局で受け取ることは、介護保険制度で対応可能な支援である。

9 病院や薬局での薬の受け取りは対応可能である。利用者が留守時の対応、地域のお祭りや外食等に一緒に行く行為、部屋の壁紙の張り替えや家屋の修繕、来客の応接等は対象外となる。 ○

□ **10** ユニットケアを採用しているユニット型施設では個室を原則とし、1ユニットの利用者数をおおむね10人以下（15人を超えない）としている。

10 ユニット型施設では、多床室や新たに個室的多床室を設置することが禁止されている。ユニットを担当する職員も一定期間同じとする等、家庭的な雰囲気の中でその人らしく暮らせる工夫がなされている。 ○

□ **11** 訪問介護（ホームヘルプサービス）において、通院介助は生活援助に位置づけられる。

11 通院介助や外出介助は身体介護に位置づけられている。 ×

□ **12** サービス付き高齢者向け住宅では、安否確認と生活相談と食事の提供が義務づけられている。

12 食事の提供は義務づけられていない。 ×

□ **13** 夜間対応型訪問介護は、介護福祉士が看護師と同行して支援を行わなければならない。

13 そのような規定はない。 ×

□ **14** 定期巡回・随時対応型訪問介護看護では、要支援者に対して日常生活上の緊急時の対応を行っている。

14 要支援者ではなく要介護1～5と認定された者に、定期巡回サービスや随時対応サービス、緊急時の対応を行っている。 ×

□ **15** 看護小規模多機能型居宅介護事業所の登録定員は、30人以下にしなければならない。

15 看護小規模多機能型居宅介護事業所の登録定員は、29人以下にしなければならないと決められている。 ×

□ **16** 訪問介護において、利用者のできない部分を補いながら行う洗濯は、生活援助に含まれる。

16 利用者の衣服の洗濯は、生活援助に含まれるが、利用者のできない部分を補いながら行う洗濯は、身体介護に含まれる。 ×

□ **17** 訪問入浴介護は、原則として1回の訪問につき介護職員2名で行う。

17 訪問入浴介護は、原則として1回の訪問につき看護職員1名と介護職員2名で行う。 ×

□ **18** 消防法に基づき、介護保険施設は、年2回以上の消火訓練および避難訓練が義務づけられている。

18 消防法では介護保険施設等に対し、年2回以上の消火訓練および避難訓練を義務づけている。2021（令和3）年度からは介護事故の発生・再発防止を強化するため、安全対策担当者の配置が義務づけられた。 ○

□ **19** ハインリッヒの法則とは、1つの重大事故の背後には300件の軽微な事故が存在することである。

19 ハインリッヒの法則とは、1つの重大事故の背後には29件の軽微な事故があり、その背景には300件のヒヤリ・ハットが存在することである。 ×

□ **20** 作業療法士は、主に応用的動作能力または社会的適応能力の回復を目指す。

20 手芸、工作などの作業療法を行う専門職である。　○

□ **21** 燃え尽き症候群（バーンアウト）の特徴は、ドライアイやドライマウスをはじめとする乾燥症状である。

21 ドライアイやドライマウスなど乾燥症状はシェーグレン症候群の特徴である。燃え尽き症候群は、長期間のストレスや理想と現実のギャップ等が原因となり、熱心に仕事を行ってきた人が急に無気力になったり、疲労を感じたりする状態である。　×

□ **22** 1968 年に WHO（世界保健機関）が示したリハビリテーションのうち、リワークプログラムは、教育リハビリテーションに含まれる。

22 リワークプログラムはうつ病等の精神疾患が原因で休職している人を対象とした職場復帰に向けた一連の活動を指し、職業リハビリテーションに含まれる。教育リハビリテーションでは障害のある子どもに特別支援教育等の教育の機会を提供する。　×

□ **23** 個人情報を使用するに当たり、本人や家族への説明と同意が不要となるケースには、意識消失と痙攣《けいれん》発作を起こした利用者の個人情報を救急隊員に提供する場合がある。

23 本人が伝えられない状況にあり緊急を要する場合については、本人や家族への説明と同意は不要である。なお、個人情報とは氏名や生年月日、顔写真、音声等、特定の個人を識別できる情報を指す。　○

□ **24** 介護福祉士が個人情報を守秘しなければならない期間は、業務に従事する期間に限られる。

24 介護福祉士は、介護福祉士でなくなった後（退職後）であっても個人情報の守秘義務が課せられている。　×

□ **25** ストレスチェック制度に基づくストレスチェックは、労働者数 30 人以上の事業者に義務づけられている。

25 労働者数 50 人以上の事業者に義務づけられている（労働者 50 人未満の事業場については当分の間努力義務）。　×

□ **26** 育児・介護休業法に基づく介護休業とは、2 か月以上要介護状態が続いている家族を介護するためのものである。

26 介護休業とは、2 週間以上の期間にわたり常時介護が必要な状態にある家族を介護するための休業を指す。　×

□ **27** 利用者から入院中の他の利用者の病状を聞かれたが話さなかったことは、介護福祉職の職務上の倫理に反する。

27 介護福祉士には秘密保持義務があり、正当な理由なく、その業務に関して知り得た人の秘密を漏らしてはならない。よって、利用者から尋ねられても、他の利用者の病状を話してはならない。　×

□ **28** ノロウイルス（Norovirus）による食中毒の原因食品として、カキが挙げられる。

28 ノロウイルスの原因食品には、カキなどの二枚貝が多くみられる。　○

□ **29** 感染対策として手洗いは、消毒液に手を浸して行うようにする。

29 手洗いは、流水と石鹼《せっけん》で行うのが基本である。その際、細菌が繁殖しやすい固形石鹼よりも液体石鹼の使用が望ましい。　×

⑤コミュニケーション技術

□ **1** 自己開示とは、援助者が自分自身の性格や行動傾向などを認識することをいう。

1 自己開示とは、援助者の名前、所属、役割などを利用者に伝えることをいう。 ×

□ **2** 傾聴とは、利用者の話す内容だけでなく、感情や価値観なども総合的に聴くことをいう。

2 傾聴は、感情や価値観などを含め、利用者の話を総合的に聴く技術である。 ○

□ **3** 利用者と面接している際、利用者が黙ってしまった場合には、会話が途切れないようにする。

3 話の途中で黙ってしまった場合、利用者が話す内容を考えていることがあるため、意図的に沈黙するなどの対応を図る。 ×

□ **4** 「どんなことでお悩みですか？」という質問方法は、閉じられた質問である。

4 これは、開かれた質問である。 ×

□ **5** 介護福祉職が行う報告は、予定より時間がかかりそうな業務であっても、業務完了後に報告するのが基本である。

5 報告は必要に応じてその都度行う。例えば、行事等では計画段階から進捗状況等を報告し、上司の助言・指導を受ける。 ×

□ **6** 構音障害のある利用者とのコミュニケーションの際は、閉じられた質問や筆談を活用するほか、聞きとれなかった箇所についてはもう一度言ってもらうようにする。

6 構音障害の場合、呂律《ろれつ》が回らない等、うまく話すことができない。閉じられた質問や筆談を活用するほか、聞きとれない箇所は再度確認する。 ○

□ **7** 中程度の老人性難聴（presbycusis）のある人で認知症（dementia）がある場合は、補聴器の使用を避ける。

7 補聴器を使用しないとコミュニケーションに支障が生じる。その結果、認知症がある場合は、混乱を招くおそれがある。 ×

□ **8** 介護記録のデータは匿名化せずに、電子メールで送受信する。

8 電子メールを用いる場合、情報漏洩《ろうえい》のおそれがあるため介護記録のデータは匿名化する。 ×

□ **9** 情報通信技術（ICT）を使った介護記録の情報管理にはUSB フラッシュメモリを用いるのが最適である。

9 USB フラッシュメモリには紛失や盗難の危険性があるので最適とはいえない。 ×

□ **10** 事故が発生し、口頭で報告する場合は、事故に至る経過を説明した後に結論を述べる。

10 事故が発生した場合は、速やかに報告する。その際は、まず結論を述べ、その後で事故に至る経過を説明する。 ×

□ **11** ヒヤリ・ハット報告書は事故報告書と分けて記載する。

11 事故（アクシデント）と、事故になる一歩手前の状況（ヒヤリ・ハット）は異なるため、報告書は分けて記載する。 ○

□ **12** 利用者と家族の意向が対立する場合、両者の意向の調整を図るため、それぞれの意見を聞くようにする。

12 利用者と家族の意向が対立する場合、まずは、それぞれの意見を聞いて確認することが重要となる。 ○

⑥生活支援技術

□ **1** 杖歩行している高齢者の寝室の環境整備の一環として、ベッドの高さは60cm程度にする。

1 個人差はあるが、ベッドの高さは足底が床につく40cm程度に調整する。　×

□ **2** 埋込式ペースメーカーを装着している利用者が入浴する際は、シャワー浴とする。

2 入浴はペースメーカーに影響を与えないため、シャワー浴に限定する必要はない。×

□ **3** ヒートショックの予防として、浴室・脱衣室と居室との温度差を小さくする。

3 ヒートショックの予防には温度差を小さくすることが求められる。　○

□ **4** ベッド上で臥床《がしょう》したままの利用者に対して和式寝衣の交換を行う際、袖を抜く時は手→肘《ひじ》→肩の順で行う。

4 設問の場合、袖を抜くときは、衿元をゆるめて、肩→肘→手の順で行う。　×

□ **5** 経管栄養を行っている利用者に対しては、空腹時の口腔《こうくう》ケアは避ける。

5 経管栄養が終わってすぐに口腔ケアを行うと嘔吐《おうと》や誤嚥《ごえん》の危険性があるため、空腹時に口腔ケアを実施する。　×

□ **6** 右片麻痺《みぎかたまひ》の利用者がかぶり式の上衣を着る場合は、右上肢→左上肢→頭の順に着る。

6 脱健着患《だつけんちゃっかん》の原則に基づき、設問の場合は、患側の右上肢→健側の左上肢（または頭）→頭（健側の左上肢）の順に着る。　○

□ **7** 左片麻痺《ひだりかたまひ》で杖を使用している利用者が階段を上がる場合は、杖→左足→右足の順に出す。

7 設問の場合は、杖→健側の右足→患側の左足の順に出す。階段を下りる際は、杖→患側の足→健側の足の順となる。　×

□ **8** 介護が必要な利用者の口腔《こうくう》ケアを行う場合、舌苔《ぜったい》は残さず取り除くようにする。

8 舌苔を一度に全部取ろうとすると、舌を傷つけてしまったり、長時間のケアによって利用者の疲弊につながったりする。　×

□ **9** 介護が必要な利用者に対して歯磨きを行う際は、頭部を後屈させて行う。

9 誤嚥《ごえん》防止のため、歯磨きを行う際は利用者の顎《あご》を軽く引き、頭部を前屈させる。　×

□ **10** 嚥下《えんげ》障害がある場合、食事の温度は体温と同じにする。

10 冷たい食事や温かい食事には、嚥下反射を促進させる効果がある。料理の内容に応じて冷たい・温かいを調節する。　×

□ **11** カステラは、誤嚥《ごえん》しやすい食品である。

11 カステラのようにスポンジ状で水分を吸収しやすい食品は、誤嚥しやすい。　○

□ **12** 高血圧症（hypertension）の予防として、カリウム（K）の少ない食品を摂取する。

12 カリウム（K）は、余分な塩分（ナトリウム）を体外に排出して血圧を下げる作用があるため、高血圧症の予防に有効である。　×

□ **13** 慢性腎不全《じんふぜん》の者に対する食事では、カロリーや塩分などを制限しなければならない。

13 十分なカロリー摂取、たんぱく質・塩分・カリウム・リンの制限、適切な水分量の摂取が必要となる。 ×

□ **14** 酸素療法を行っている利用者が入浴する際は、鼻カニューレを外す必要がある。

14 酸素療法を行っている人が入浴する際は、酸素供給器に水がかからないように配慮し、医師の指示に基づく酸素量を鼻カニューレから吸入する必要がある。 ×

□ **15** 屋外で車いすの移動を支援する際、砂利《じゃり》道では後輪を持ち上げて進むようにする。

15 砂利道では、前輪（キャスター）を持ち上げ、後輪のみで進む。ただし、乗り心地や安全性を考えれば、できる限り避けたほうがよい。 ×

□ **16** いすに座っている右片麻痺《みぎかたまひ》の利用者の食事介護をする際は、口の右側に食物を入れるようにする。

16 片麻痺のある利用者の食事介護は健側から行うのが基本である。右片麻痺の場合は、左側から食物を入れるようにする。 ×

□ **17** スライディングボードを使用する際は、アームサポートが跳ね上がる（取り外せる）タイプの車いすを準備する。

17 スライディングボードを使用すれば、ベッドから車いすへの移乗等が座位のまま行える。利用者の臀部《でんぶ》に褥瘡《じょくそう》やケガがないことも使用条件の１つとなる。 ○

□ **18** 皮膚の乾燥が強くなった高齢者の場合、入浴後、保湿剤は皮膚が十分に乾いてから塗るようにする。

18 保湿剤には皮膚の水分を逃がさず、フタをする役割があるため、入浴後、身体を拭いたらすぐに塗るようにする。 ×

□ **19** 女性の陰部清拭《せいしき》は肛門《こうもん》から恥骨の方向に拭く。

19 女性の陰部清拭は肛門から恥骨の方向に拭くと、感染症のおそれがあるため、尿道口から肛門に向かって拭く必要がある。 ×

□ **20** 全身清拭《せいしき》において、背部を拭くときは、健側を下にする。

20 片麻痺《かたまひ》がある利用者の背部を拭くときは、健側を下にする。 ○

□ **21** ベッド上で腰上げが可能な高齢者への差し込み便器による排泄《はいせつ》介護を行う際は、便器の位置を確認後、ベッドを水平にする。

21 差し込み便器の位置を確認したら、排便・排尿しやすくするため、ベッドをギャッジアップして上体を起こし、腹圧をかけやすくする。 ×

□ **22** 下痢が続いている要介護高齢者への対応では水分摂取を控えるようにする。

22 水分摂取を控えると脱水を引き起こす可能性があるので、むしろ水分は十分に摂ってもらう必要がある。 ×

□ **23** 浴槽への出入りに移乗台を用いる場合、浴槽縁よりも高くなるように移乗台の高さを設定する。

23 座位姿勢のまま、移乗台から浴槽縁に水平かつ円滑に移動できるよう、移乗台は浴槽縁と同じ高さに設定する。 ×

□ **24** ポータブルトイレを使用する際の排泄《はいせつ》介護として、排泄が終了したら、立ち上がる前に下着やズボンを下腿《かたい》部まで上げておく。

24 排泄終了後、すぐに立ち上がるのではなく、先に下着とズボンを大腿《だいたい》部まで上げておくと、立位後にスムーズに下着とズボンを着ることができる。 ×

□ **25** 食中毒の予防として、豚肉は、中心部が 65℃以上となるように 1 分間加熱する。

25 食中毒の予防のため、豚肉の場合は、中心部の温度が 75℃以上で 1 分間以上加熱する必要がある。 ×

□ **26** 腸管出血性大腸菌で下痢が続いている利用者のおむつ交換をする際、汚れたシーツにはアルコールを噴霧する。

26 シーツに付着した便を除去した後、塩素系漂白剤（次亜塩素酸ナトリウム）に浸け置きして消毒または熱湯消毒を行う。 ×

□ **27** 介護福祉職が耳垢塞栓《じこうそくせん》を除去する場合、外耳道から 1cm 程度の範囲内にベビーオイルをつけた綿棒を入れ、耳垢を柔らかくしてから除去する。

27 耳垢が乾燥している場合にとる方法である。耳垢塞栓の場合、その除去は医行為となるため、介護福祉職は実施できない。 ×

□ **28** 弛緩《しかん》性便秘の利用者に提供する食べ物として、ごぼうの煮物が適している。

28 弛緩性便秘は、腸の蠕動《ぜんどう》運動の低下によって引き起こされる便秘であるため、運動に加え、ごぼう等の食物繊維を多く含む食品や水分を多めに摂取する。 ○

□ **29** 直腸性便秘のある高齢者には、腸を刺激するタイプの下剤を毎日勧める。

29 下剤には、腸を刺激するタイプと便の水分を増やし軟化させるタイプの酸化マグネシウムなどがある。直腸性便秘の場合、酸化マグネシウムなどの下剤のほうが有用である。 ×

□ **30** 清拭《せいしき》の際、目尻から目頭に向かって拭く。

30 目頭から目尻に向かって拭く必要がある。 ×

□ **31** 高血圧の利用者には、1 日の塩分摂取量を 10g 以下にする。

31 高血圧の治療においては食塩制限が重要であり、日本高血圧学会では、1 日 6g 未満を推奨している。 ×

□ **32** 人工透析をしている利用者には、生野菜を勧める。

32 生野菜や果物にはカリウムが多く含まれている。人工透析をしている利用者は腎機能に障害があるため、カリウムが排泄《はいせつ》されず血液中に蓄積し、高カリウム血症を引き起こすおそれがある。 ×

□ **33** 「てこの原理」を活用して仰臥位《ぎょうがい》から座位《ざい》への体位変換を行う場合は、利用者の腰部を支点とする。

33 ボディメカニクスの 1 つである「てこの原理」では支点・力点・作用点を意識する必要がある。仰臥位から座位への体位変換では、利用者の臀部《でんぶ》を支点とする。 ×

□ **34** 施設において介護福祉職が死後の処置を行う場合、義歯ははずす。

34 義歯があると顔が整いやすいため、口腔《こうくう》ケア後、装着しておくとよい。なお、着物の場合は左前に合わせ、帯紐は縦結びとする。 ×

□ **35** アドバンス・ケア・プランニング（ACP）とは、自らが望む医療やケアについて事前に意思表示し、それを書面に残すことを指す。

35 設問はリビングウィル（living will）の説明である。ACP とは本人や家族、医師、看護師、介護福祉士等が話し合う中で、どのように終末期を迎えたいかについて本人の意思決定を支援するプロセスを指す。 ×

⑦介護過程

□ **1** 介護過程において、アセスメント（assessment）の次の段階は介護計画の作成である。

1 介護過程は、大きくアセスメント→介護計画の作成→介護計画の実施→評価の４段階に区分されている。〇

□ **2** 利用者の情報収集においては、当該利用者の家族から収集することを基本とする。

2 利用者の情報収集においては、当該利用者から収集することを基本とする。×

□ **3** 「利用者のＡさんは、息づかいが荒く苦しそうだった」という記録は、利用者の主観的情報を介護福祉職が記録したものである。

3 「息づかいが荒く苦しそうだった」は介護福祉職が判断しているため、介護福祉職による主観的情報に基づく記録である。×

□ **4** 介護過程の目的は、利用者の望むことすべての実現を目指すことである。

4 介護過程では、デマンド（主観的欲求）とニーズ（客観的必要性）の双方を見極める必要があり、必ずしも望みのすべてを叶えることが目的ではない。×

□ **5** 情報収集を行う際に、他の介護福祉職との会話で得られた情報は、直接的な情報として取り扱う。

5 他の介護福祉職や他の専門職、家族、記録等から得られた情報は間接的な情報である。介護福祉職自身が直接利用者と関わって得た情報は直接的な情報となる。×

□ **6** 介護計画の目標設定の際は、ケアプランとの整合性は確認しなくてよい。

6 介護支援専門員（ケアマネジャー）が作成するケアプランと介護福祉職が作成する介護計画は整合性を持たせる。×

□ **7** 介護計画を実施する際、介護計画の変更内容の説明については省略することができる。

7 省略してはならない。変更理由も含め、利用者にわかりやすく丁寧に説明し同意を得る必要がある。×

□ **8** 介護計画を立てたが実施しなかったものについては、評価はしない。

8 介護計画にある内容は、実施しなかったものについても、なぜ実施しなかったかなどの点を評価する。×

□ **9** 介護計画の目標を記述するときの主語は利用者にする。

9 介護計画の目標達成を目指すのは利用者本人であるため、長期目標と短期目標を記述する際の主語はともに利用者とする。〇

□ **10** 生活課題の優先順位を決定する際は、利用者が要望する頻度の多いものから決定する。

10 生活課題の優先順位を決める際は、利用者の要望やその頻度だけでなく、生命の安全性や生活の安定性といった視点も含めて総合的に検討する。×

□ **11** 介護計画を作成する際、支援内容が明確であっても、支援方法や介護上の注意点の記載は省略できない。

11 長期目標・短期目標を達成するための具体的な支援内容に加え、その支援方法および介護上の注意点も記載する必要がある。〇

□ **12** 介護記録に客観的情報を記入する際には、「かわいそう」など記入者の心情を盛り込んではならない。

12 客観的情報を記入する際は、その場面や利用者の行動などの事実を正確にとらえることが大切である。 ○

□ **13** 介護記録には、他職種との関わりを除外して記録する。

13 介護記録には、他職種と共に行った支援内容など他職種との関わりも記録する。 ×

□ **14** ICF に基づいて情報を分類する場合、「人工肛門《こうもん》（消化管ストーマ）を造設した」は、個人因子に該当する。

14 人工肛門の造設は心身機能・身体構造に該当する。ただし、人工肛門で「排泄《はいせつ》する」ことに視点を向ければ、活動となる。 ×

□ **15** 介護計画を実施する場合、他職種への経過報告は目標の達成後に行う。

15 他職種への報告は目標の達成後だけでなく、定期的あるいは必要時にも行う。 ×

○×式 即答で鍛える 領域Ⅲ：こころとからだのしくみ

⑧こころとからだのしくみ
⑨発達と老化の理解
⑩認知症の理解
⑪障害の理解

⑧こころとからだのしくみ

□ **1** マズローは、人間の欲求を生理的欲求、安全の欲求、所属・愛情の欲求、承認の欲求、自己実現の欲求の５段階に区分した。

1 マズローは、人間の欲求を５段階のピラミッド型に階層序列化した。 ○

□ **2** 結晶性知能は、加齢による影響を受け、低下しやすい。

2 結晶性知能は加齢による影響をほとんど受けず、比較的維持される傾向にある。 ×

□ **3** 脱水に伴う症状の１つとして、浮腫《ふしゅ》が挙げられる。

3 脱水に伴う症状として、活動性の低下や意識障害が挙げられる。 ×

□ **4** 自転車の乗り方の習得に関する記憶は、手続き記憶に含まれる。

4 手続き記憶とは、自転車の乗り方などの身体で覚えている記憶をいう。 ○

□ **5** 血液中で酸素の運搬を行っているのは血小板である。

5 血液中で酸素の運搬を担っているのは「赤血球」である。 ×

□ **6** 骨のカルシウム（Ca）はビタミンK（vitamin K）によって吸収が促進される。

6 骨の形成に必要なカルシウムの吸収を促進するのはビタミンD、骨の健康維持に関わるのはビタミンKである。 ×

□ **7** 膀胱炎《ぼうこう》（cystitis）で起こりやすい症状は、乏尿《ぼうにょう》である。

7 乏尿とは尿の排泄《はいせつ》量が低下し、1日の尿量が400mL以下となった状態をいう。膀胱炎になると頻尿になることが多い。 ×

□ **8** 肝臓にはグリコーゲンを貯蔵する機能がある。

8 その他、赤血球の分解、血漿《けっしょう》たんぱくの合成、ホルモンの産生、解毒等も行う。 ○

□ **9** 呼吸中枢の働きを担うのは、小脳である。

9 呼吸中枢は脳幹の延髄《えんずい》にある。小脳は、運動機能を調整する。 ×

□ **10** 腸閉塞《へいそく》（intestinal obstruction）では、下痢になりやすい。

10 腸閉塞は、腸内で食べ物や消化液の流れが滞っている状態であり、下痢を伴わない腹痛や嘔吐《おうと》などの症状が現れる。 ×

□ **11** 副交感神経の作用として、消化の促進がある。

11 消化の促進は副交感神経の作用で、消化管の運動や消化液の分泌を促進する。 ○

□ **12** 疥癬《かいせん》（scabies）は、真菌（カビ）が原因で起こる皮膚疾患である。

12 疥癬はヒゼンダニ（疥癬虫）が人の皮膚に寄生して発症する感染症である。 ×

□ **13** 皮膚の表面は弱アルカリ性に保たれている。

13 皮膚の表面は、弱酸性である。 ×

□ **14** 高齢者の睡眠の特徴として、中途覚醒《かくせい》が多くなることが挙げられる。

14 高齢者は眠りの持続性がない状態にあるので、中途覚醒が多くなる。 ○

□ **15** ノンレム睡眠とは、浅い眠りであり、脳が覚醒《かくせい》している状態に近い睡眠をいう。

15 ノンレム睡眠とは、深い眠りであり、大脳を休ませて回復させる睡眠をいう。 ×

□ **16** 脊柱管狭窄症《せきちゅうかんきょうさく》（spinal stenosis）では、動揺性歩行が顕著にみられる。

16 脊柱管狭窄症の場合、間欠性《かんけつせい》跛行《はこう》はみられるが、動揺性歩行はみられない。 ×

□ **17** ばち状爪は、鉄欠乏性貧血が原因で起きる。

17 ばち状爪は肺疾患や心疾患が原因で生じる。重症の貧血や鉄欠乏性貧血が原因で起きるのは、さじ状爪（スプーンネイル）である。 ×

□ **18** 睡眠周期は約90分である。

18 ノンレム睡眠とレム睡眠からなる睡眠周期は約90分である。 ○

□ **19** 臨終期では、喉《のど》からゴロゴロする音が聞かれる。

19 臨終期には身体が衰弱して痰《たん》を自力で出すのが困難になり、ゴロゴロする音が聞かれることがある。 ○

□ **20** たんぱく質、糖質、脂質、ビタミン、無機質（ミネラル）のうち、1g当たりのエネルギー発生量が最も多い栄養素は脂質である。

20 たんぱく質と糖質が1g当たり約4kcalの熱量をそれぞれ発生するのに対し、脂質は1g当たり約9kcalの熱量を発生する。　○

□ **21** 糖尿病のある利用者の身支度の介護で、異変の有無について特に観察すべき部位として、足趾《そくし》が挙げられる。

21 糖尿病の合併症として起こる糖尿病性神経障害は下肢に生じやすい。足趾をよく観察することが重要となる。　○

□ **22** 弛緩《しかん》性便秘の原因として、自律神経の失調が挙げられる。

22 弛緩性便秘は加齢に伴う筋力低下や運動不足、食物繊維の不足から生じる。　×

□ **23** レストレスレッグス症候群は、入眠障害や中途覚醒《かくせい》の原因となる。

23 レストレスレッグス症候群は、夜を中心に脚に不快感や違和感が生じる。　○

□ **24** 肥満は、睡眠時無呼吸症候群の原因となる。

24 睡眠時無呼吸症候群の原因には肥満のほか、喫煙、過度の飲酒も挙げられる。　○

□ **25** 口蓋垂《こうがいすい》には、誤嚥《ごえん》を防止する役割がある。

25 誤嚥を防止する部位は喉頭蓋《こうとうがい》である。　×

□ **26** 入浴による下肢のむくみの軽減は、浮力作用によるものである。

26 入浴による下肢のむくみ（浮腫《ふしゅ》）の軽減は、静水圧作用によるものである。　×

□ **27** 皮膚からは1日に約500～600mLの不感蒸泄《ふかんじょうせつ》がある。

27 不感蒸泄とは、汗とは別に失われる水分のことをいう。　○

□ **28** 立位姿勢を維持するための筋肉（抗重力筋）として、僧帽筋が挙げられる。

28 立位姿勢維持のための筋肉（抗重力筋）には腹直筋、腸腰筋、大腿四頭筋《だいたいしとうきん》、大臀筋《だいでんきん》、ハムストリングス等がある。　×

□ **29** 死亡直前は、皮膚の死斑《しはん》がみられる。

29 筋肉や関節の硬直、角膜の混濁等に加え、皮膚の死斑も死亡後にみられる。　×

□ **30** 投影（投射）とは、未熟な言動をとる中で相手に依存し、その困難な状況から逃げようとすることである。

30 退行の説明である。投影（投射）とは、自分の中にある認めがたい感情が他の人の中にあると考え、不安を解消しようとすることを指す。　×

⑨発達と老化の理解

□ **1** エリクソン（Erikson, E.）の発達段階説において、青年期の発達課題として基本的信頼感の獲得が挙げられる。

1 青年期（12～20歳頃）の発達課題は同一性の確立である。基本的信頼感の獲得は乳児期（0～1歳頃）のものとなる。　×

☐ **2** フレイル（frailty）とは、原因となる病気や異常がないにもかかわらず、疲れやすい、頭が重い、何となく調子が悪い、よく眠れない等の症状が現れる状態を指す。

2 不《ふ》定《てい》愁《しゅう》訴《そ》の説明である。フレイルとは、健康な状態と要介護状態の中間に位置し、認知機能や身体機能の低下がみられる等、心身の脆弱性が出現した状態を指す。 ×

☐ **3** 乳幼児期の標準的な発達では、生後３か月頃、クーイングが見られる。

3 生後３か月頃に見られる反応は、周囲の人々にほほえみかける社会的微笑である。一方、舌を使わないで「アー」「ウー」「クー」等の声を出すクーイングは、生後１か月頃に見られる。 ×

☐ **4** 老化に伴って、暗さに目が慣れる能力よりも、まぶしさに目が慣れる能力のほうが低下する。

4 老化に伴い、より低下するのは明るさに目が慣れる明順応よりも、暗さに目が慣れる暗順応のほうである。 ×

☐ **5** 老化に伴って、高音域よりも低音域の音が聞こえにくくなる。

5 加齢により、聞こえにくくなるのは低音域よりも高音域のほうである。 ×

☐ **6** 流動性知能は、過去の人生経験の蓄積によって形成される。

6 流動性知能は、新しい場面での問題解決能力や新しいことを学習する能力であり、加齢の影響を受ける。 ×

☐ **7** 老化に伴って、肝臓での薬剤の代謝に要する時間は短縮される。

7 肝臓の解毒作用が低下するので、肝臓での代謝に要する時間は長くなる。 ×

☐ **8** 高齢者が服薬した場合、薬剤の効果が強く出ることがある。

8 高齢者は複数の疾病に罹りやすく、複数の薬剤を使用していることが多い。そのため薬物の相互作用や有害事象が起こりやすく、薬剤の効果が強く出ることがある。 ○

☐ **9** バトラー（Butler, R.N.）によって提唱されたプロダクティブ・エイジング（productive aging）は、エイジズム（ageism）による高齢者のとらえ方を肯定した概念である。

9 プロダクティブ・エイジングには、すべての人が老いてこそ、ますます社会にとって必要な存在であり、セルフケアや学習、労働等の活動に寄与すべきという意味合いが含まれる。高齢者への偏見や差別を意味するエイジズムを肯定してはいない。 ×

☐ **10** パーキンソン病（Parkinson disease）の症状として、後屈した姿勢や大股な歩行が挙げられる。

10 パーキンソン病の症状には、前かがみ姿勢や小刻み歩行が挙げられる。その他、振《しん》戦《せん》、無動、固縮、姿勢反射障害等の症状がみられる。 ×

☐ **11** 狭心症の症状として、胸部圧迫感がみられる。

11 狭心症は、心筋に酸素を供給している冠動脈の異常によって、一過性の胸痛や胸部圧迫感などを生じる。 ○

☐ **12** 高齢者の難聴の多くは、伝音性難聴である。

12 高齢者の難聴の多くは、感音性難聴である。 ×

□ **13** 関節リウマチは、就寝時の手のこわばりが特徴的である。

13 関節リウマチは、朝方の手のこわばりが特徴的である。　×

□ **14** 高齢者の糖尿病の場合、若年者に比べて高血糖の持続による口渇感が弱い。

14 高齢者は、若年者に比べて自覚症状に乏しく、口渇感を強く感じない傾向にある。○

□ **15** 老年期の変形性膝《しつ》関節症では、内反型の脚の変形を伴うことが多い。

15 変形は、内反型（O 脚）になることが多い。　○

⑩認知症の理解

□ **1** 認知症（dementia）の中核症状として、抑うつがある。

1 抑うつや徘徊《はいかい》は、認知症の BPSD（行動・心理症状）である。　×

□ **2** 認知症のある人が、自分の夫のことを夫と認識できないことは、見当識障害の症状に該当する。

2 見当識障害は、認知症の中核症状に含まれ、人・時・場所がわからなくなる。　○

□ **3** 実行機能障害は、認知症の中核症状に含まれる。

3 実行機能障害は、計画を立てた通りに行動できなくなるなどの特徴がある。　○

□ **4** 軽度認知障害は、認知症の一種である。

4 軽度認知障害（MCI）は認知症とは異なる。×

□ **5** リアリティ・オリエンテーション（reality orientation: RO）とは、自分の過去を思い出し、自らの人生を肯定的に受け入れる活動を指す。

5 設問はライフレビュー（life review）の説明。RO とは日付、季節、天気、場所等の情報を普段から繰り返し伝えて認識してもらう認知症ケアの方法を指す。　×

□ **6** 「ひもときシート」とは、評価的理解→分析的理解→共感的理解のプロセスを踏む中で言動の背景要因を分析し、認知症の人を理解するためのツールである。

6 「ひもときシート」では、認知症の人の言動を本人の視点でとらえる。分析的理解では、8 つの要因から言動の背景を確認していく。　○

□ **7** 認知症と比較した場合のせん妄の特徴の 1 つとして、覚醒《かくせい》水準の低下が挙げられる。

7 せん妄は意識障害の一種で覚醒水準の低下を伴うことが多い。　○

□ **8** 血管性認知症（vascular dementia）は、初期にめまいを自覚することがある。

8 血管性認知症は、初期症状としてめまい、頭痛、物忘れが最も出現頻度が高い。　○

□ **9** 血管性認知症の症状として、感情失禁がみられる。

9 感情（情動）失禁とは、感情のコントロールがきかず、激しい感情が些細なことでも湧き起こる状態をいう。　○

□ **10** レビー小体型認知症では、睡眠中も幻視が生じる。

10 幻視は覚醒《かくせい》している時に生じる。睡眠中は大声を出し、手足を動かす等のレム睡眠行動障害による症状がみられる。 ×

□ **11** レビー小体型認知症では、人格変化がみられる。

11 人格変化が特徴的な認知症は前頭側頭型認知症である。 ×

□ **12** バリデーション（validation）とは、認知症の人の身体に触れることで、その人に安心感を与える手法を指す。

12 設問はタッチング（touching）の説明である。バリデーションは認知症の人とのコミュニケーション方法で、その人に合わせてコミュニケーションを図るミラーリングやカリブレーション等の技法がある。 ×

□ **13** 前頭側頭型認知症の特徴的な症状として、社会ルールや常識的な規範が分からなくなることが挙げられる。

13 前頭側頭型認知症の症状には、反社会的な行動や人格の変化、目的もなく同じ行動を繰り返す常同行動がある。 ○

□ **14** 若年性認知症（dementia with early onset）は、前期高齢者が発症する認知症である。

14 64 歳以下で発症する認知症が、若年性認知症である。 ×

□ **15** 認知症の原因疾患のすべては症状の進行が不可逆かつ治療不可能なものである。

15 慢性硬膜《こうまく》下《か》血腫《けっしゅ》や正常圧水頭症など、原因疾患の一部には、適切な治療を施すことによって治癒可能なものが存在する。 ×

□ **16** 認知症サポーターについては、国が実施主体となって養成講座を行っている。

16 養成講座の実施主体は都道府県、市町村、職域団体等である。なお、認知症サポーターは専門職ではない。 ×

□ **17** 認知症初期集中支援チームでは、認知症の利用者や家族等に対して、2～3週間集中して支援を行う。

17 支援期間はおおむね 6 か月である。初回訪問後にチーム員会議を開催し、ケア方針を決定する。 ×

□ **18** MMSE（Mini-Mental State Examination）は、質問形式で認知機能を評価する。

18 MMSE は、質問形式で認知機能を評価する。他に観察に基づく評価もある。 ○

⑪障害の理解

□ **1** 脊髄《せきずい》の完全損傷で、プッシュアップが可能となる最上位のレベルは、頸髄《けいずい》（C1～C3）である。

1 脊髄損傷で頸髄 C1～C3 のレベルでは呼吸障害や四肢《しし》麻痺《まひ》の状態となるため、プッシュアップは困難である。プッシュアップが可能となる最上位のレベルは、肘を伸ばす力がある頸髄 C7 のレベルである。 ×

□ **2** ソーシャルインクルージョン（social inclusion）とは、必要な支援を受けながら、自らの生活を選択し決定することを意味する。

2 設問は自己決定や自立支援の内容である。ソーシャルインクルージョンとは、孤独や孤立、排除等から援護し、すべての人々を社会の一員として包み込み、共に支え合うことを意味する。 ×

□ **3** 利用者が「以前、小学校の教員をしていた」ことは、国際生活機能分類（ICF）における「参加」に該当する。

3「以前、小学校の教員をしていた」ことは、その利用者の生活歴を指す。国際生活機能分類（ICF）では、その利用者の生活歴等は、利用者の特性に関わるため「個人因子」としている。一方、「参加」は社会的な出来事への関与や生活上の役割を指し、家族や地域住民との交流などが該当する。　×

□ **4** 自閉症スペクトラム障害の特性として、読み書きの障害と注意の障害が挙げられる。

4 社会性の障害として、対人関係やコミュニケーションに支障が生じる。　×

□ **5** 言語機能障害を来す難病には、脊髄《せきずい》小脳変性症（spinocerebellar degeneration）がある。

5 脊髄小脳変性症は脊髄や小脳に病巣があり、歩行時のふらつき、手の震えに加え、言語機能障害（呂律《ろれつ》が回らない）などの症状が現れる神経の難病である。　○

□ **6** 慢性閉塞性《へいそくせい》肺疾患がある者が入浴する際は、お湯の温度をぬるめに設定する。

6 湯船に肩までつからないようにすることも大切である。　○

□ **7** 筋萎縮《いしゅく》性側索《そくさく》硬化症（amyotrophic lateral sclerosis：ALS）にみられる特徴的な障害として、眼球運動障害がある。

7 筋萎縮性側索硬化症（ALS）では眼球運動障害のほか、膀胱《ぼうこう》直腸障害、感覚障害、知的障害は起こらない。　×

□ **8** 腎臓《じんぞう》機能障害があり、血液透析を行っている者は、外出することはできない。

8 外出することは可能である。　×

□ **9** 統合失調症（schizophrenia）の陽性症状として、感情の平板化や意欲低下などがみられる。

9 陽性症状としては、幻覚、幻聴、思考障害など、陰性症状としては、感情の平板化や意欲の欠如などがみられる。　×

□ **10** 網膜《もうまく》色素変性症の初期症状として、口内炎が挙げられる。

10 口内炎はベーチェット病の症状の１つである。網膜色素変性症の主な初期症状には夜盲、視野狭窄《きょうさく》、視力低下がある。　×

□ **11** 関節リウマチのある人の場合、ドアの取っ手は丸いものを使用する。

11 ドアの取っ手が丸いと、握るときに指関節にかかる負担が大きい。関節リウマチがある場合は、ドアの取っ手をレバー式の長い柄のものとし、関節を保護する。　×

□ **12** 知的障害の特徴として、てんかんの合併率が高いことが挙げられる。

12 てんかんは脳神経細胞の過剰放電による慢性の脳疾患であり、知的障害に合併して起こることが多い。　○

□ **13** パーキンソン病の４大症状とは、筋萎縮《いしゅく》、高血圧、安静時振戦《しんせん》、排尿障害をいう。

13 パーキンソン病の４大症状とは、筋固縮、無動・寡動《かどう》、安静時振戦、姿勢反射障害をいう。　×

□ **14** 高次脳機能障害による着衣失行のある利用者に対する支援では、左右がわかるように衣類に印を付けるようにする。

14 高次脳機能障害の場合、物事の手順がわからなくなる遂行機能障害や２つ以上のことを同時に行えなくなる注意障害等が現れやすい。左右の違いがわかるように目印を付ける等の間接的な支援が重要となる。　○

□ **15** 失語症（aphasia）の人とは五十音表を活用してコミュニケーションを図るようにする。

15 失語症は、聴く、話す、読む、書くといった能力に支障をきたすものであり、五十音表を用いるのは困難である。　×

□ **16** 老人性難聴（presbycusis）は、伝音性難聴に分類される。

16 老人性難聴は、伝音性難聴ではなく感音性難聴に分類される。　×

□ **17** 心臓機能障害のため、ペースメーカーを装着している人は、身体障害者手帳の交付対象となる。

17 申請によって身体障害者福祉法における身体障害者手帳の交付を受けることができる。　○

□ **18** 発達障害のある人が一般就労に向けて利用するサービスとして、就労継続支援Ｂ型がある。

18 就労継続支援Ｂ型は一般就労が困難な障害者に非雇用型で働く場を提供するものである。　×

□ **19** レスパイトケアの目的は、利用者の身体的安静を確保することである。

19 家族介護者の介護疲労を軽減するために、休養を提供することを目的としている。　×

□ **20** 相談支援専門員の業務として、個別支援計画の作成が挙げられる。

20 相談支援専門員はサービス等利用計画を作成する。個別支援計画を作成するのはサービス管理責任者である。　×

○×式 即答で鍛える

⑫医療的ケア

領域Ⅳ：医療的ケア

⑫医療的ケア

□ **1** 介護福祉職が経管栄養を実施する時に、注入量を指示する職種は看護師である。

1 医師が指示し、研修を修了した介護福祉職が行う。　×

□ **2** 喀痰《かくたん》吸引を必要とする利用者への生活支援として、室内の湿度を30%以下に保つことが挙げられる。

2 室内の湿度は50～60%に保つことが適切である。30%以下では空気が乾燥し、痰《たん》の粘性が増して痰の喀出が困難となる。　×

□ **3** パルスオキシメーター（pulse oximeter：経皮酸素飽和度モニター）で測定した場合、健康な人の基準値は90～100%である。

3 健康な人の基準値（動脈血酸素飽和度）は95～100%である。90%は呼吸不全の診断基準の1つとなる。　×

□ **4** 意識及び呼吸がない傷病者を発見し、心肺蘇生《しんぱいそせい》法を開始する場合は、人工呼吸から開始する。

4 心肺蘇生法は、胸骨圧迫から開始する。　×

□ **5** 「清浄綿」等は吸引チューブの内側を清拭《せいしき》するために用い、「洗浄水」は吸引チューブの外側を洗浄するために用いる。

5 「清浄綿」は吸引チューブの「外側」を清拭するために用い、「洗浄水」は吸引チューブの「内側」を洗浄するために用いる。　×

□ **6** 介護福祉士が鼻腔《びくう》内の吸引を行う際に吸引チューブを挿入できる範囲の限度は咽頭《いんとう》内である。

6 介護福祉士が吸引チューブを挿入できる範囲は咽頭の手前までと定められており、鼻腔《びくう》内吸引では鼻腔内まで吸引チューブを挿入できる。　×

□ **7** 介護福祉士ができる吸引は、気管切開して人工呼吸器を使用している人の喀痰《かくたん》吸引時、吸引チューブの挿入は気管分岐部の手前までである。

7 介護福祉士ができる吸引は、気管カニューレまでである。気管カニューレの先には迷走神経があり、そこを刺激すると心臓や呼吸器の働きを停止させる危険性がある。　×

□ **8** 喀痰《かくたん》吸引を必要とする利用者に対しては、仰臥位《ぎょうがい》から腹《ふく》臥位《がい》への体位変換を行う。

8 仰臥位は背中側に痰が溜まるため腹臥位や側臥位に体位変換し、痰の喀出《かくしゅつ》を促す。　○

□ **9** 喀痰《かくたん》吸引を実施する際、食後の吸引は避けるようにする。

9 吸引は必要なときに行う。痰《たん》や唾液《だえき》等の分泌物は食事や飲み物による刺激で多くなるため、食後の喀痰吸引は適切である。　×

□ **10** 経管栄養を実施する際の利用者の姿勢は、安静を保つために臥位《がい》が相応しい。

10 逆流を防ぐため、経管栄養中と終了後の一定時間は座位や半座位（ファーラー位）で過ごすのが望ましい。　×

□ **11** イルリガートル（注入ボトル）は、注入部位よりも50cm低い位置に設置する。

11 イルリガートルは、注入部位よりも50cm「高い」位置に吊《つ》るすのが基本である。　×

□ **12** 胃ろうによる経管栄養の注入速度が速いことで下痢になる可能性がある。

12 問題文の通り。下痢を生じた際は、通常、注入速度を遅くすることで対応する。　○

□ **13** イルリガートルを用いた経鼻経管栄養で使用した物品は、消毒用エタノールにつけて消毒をする。

13 経鼻経管栄養で使用した物品は、次亜塩素酸ナトリウム等につけて消毒し、流水で洗って乾燥させる。　×

○×式 即答で鍛える

経験値アップで絶対パーフェクト！
総合問題を徹底攻略

総合問題

介護福祉士試験には、４領域：12 科目のほかに「総合問題」があります。総合問題には全科目の内容が盛り込まれ、１事例：３問を１セットにした事例形式の問題が４セット（計 12 問）出題されます。ここ数年は、そのうち**２セット（６問）が高齢者領域**（発達と老化の理解、認知症の理解、介護保険制度等）、**残る２セット（６問）が障害児・者領域**（障害の理解、障害者総合支援法等）**から出題**されています。どちらかに偏らず、全科目を**バランスよく学習することが重要**です。

事例形式の問題は、事例文から読み解ける内容が含まれていることから、一問一答形式の問題に比べて**難易度が低いものも多く、得点を稼ぎやすい**というメリットがありますが、文を読んでから問題を解く必要があることから、**解答をマークするまでに時間がかかる**というデメリットもあります。総合問題攻略の１つのカギは、このデメリットを解消することです。事例文を読む速さを上げる（**速読力**）、内容を瞬時に理解する（**理解力**）、選択肢の○×判断の速さ・正確さ（**判断力**）の向上が重要となります。１問あたりにかけられる時間が１分～１分 30 秒程度であるという点からも、**速読力**、**理解力**、**判断力**の「**三つの力**」がいかに重要であるかがおわかりいただけると思います。

ここでは、これまでの試験で出題された総合問題のうち、今後も出題されそうな事例問題を掲載し、どの科目の知識が必要なのか、どのような視点で事例文を読むのか、どのようなとらえ方で正解を導くのかの３点を中心に説明していきます。

総合問題 1　Key Point　**用語の定義をいかに理解しているかが正解・不正解の分かれ目になる。**

次の事例を読んで、問題１から問題３までについて答えなさい。

〔事例〕 Ａさん（65 歳）は、夫（70 歳）と二人暮らしをしていた。Ａさんは骨《こつ》粗《そ》鬆《しょう》症（osteoporosis）と診断を受けていたが、最近、約束していたことを忘れるなどの記憶力の低下や人格の変化がみられるようになり、前頭側頭型認知症（frontotemporal dementia）と診断され、要介護認定で要介護３となった。

夫は体調を崩して、近所の病院に入院することになった。夫が介護支援専門員（ケアマネジャー）に相談して、Ａさんは、夫の入院する病院に併設されている施設に入所した。この施設は、看護、医学的管理の下に介護や機能訓練などを実施している。

Ａさんは施設入所後、介護職の問いかけに返事をしなかったり、急に服を脱ぎだすなどの行動を繰り返した。日常生活では、すべての動作に見守りと声かけが必要な状態であった。

問題 1 該当科目 介護の基本

Aさんが入所した施設として、次の中から正しいものを1つ選びなさい。

① 小規模多機能型居宅介護　② 介護老人福祉施設　③ 認知症対応型共同生活介護
④ 介護老人保健施設　⑤ 救護施設

正解 4

この問題は、単純に各サービス・施設の定義を覚えていれば簡単に解くことができます。仮にその定義を覚えていなくても、事例文や問題文の「要介護3」「Aさんが入所した施設」の2点から、必然的に介護保険制度の**介護保険施設**に入所した可能性が高いと判断でき、正解を選択肢②・④に絞り込むことができます。そして、事例文の「この施設は、看護、医学的管理の下に介護や機能訓練などを実施している」という点から、介護老人福祉施設と介護老人保健施設のうち、どちらの方が**医療的な側面**や**機能訓練**を重視しているかを考えればおのずと正解が導けますし、施設名の「福祉:保健」を比較してみても正解がどちらかはわかると思います。

このパターンの問題に対応するには、法律の定義をそのまま覚えるというよりも、定義とポイントをミックスさせてわかりやすい言葉で整理したものを覚えるといいでしょう。

種類	根拠法令	定義・ポイント
小規模多機能型居宅介護	介護保険法	**居宅要介護者**に対し、その者の心身状況等に応じて、その者の選択に基づき、通いサービス、訪問サービス、短期宿泊サービスを組み合わせて提供する地域密着型サービス
介護老人福祉施設	介護保険法	介護、日常生活上の**世話**、機能訓練、健康管理、療養上の**世話**を行うことを目的とする介護保険施設
認知症対応型共同生活介護（認知症グループホーム）	介護保険法	**認知症**である要介護者に対し、**共同生活**を営むべき住居において、介護その他の日常生活上の世話、機能訓練を行う地域密着型サービス
介護老人保健施設	介護保険法	**看護**、**医学的管理**の下における介護、機能訓練その他必要な**医療**、日常生活上の世話を行うことを目的とする介護保険施設
救護施設	生活保護法	身体上または精神上著しい障害があるために日常生活を営むことが困難な要保護者を入所させて、生活扶助を行う**保護施設**

問題 2 該当科目 生活支援技術、認知症の理解

Aさんが居室で急に服を脱ぎだしたときの介護福祉職の対応として、次の記述の中から最も適切なものを1つ選びなさい。

① 服を脱いでいる行動を止める。
② 服を脱がないように説得する。
③ 服を脱ぐのは、恥ずかしいことだと伝える。
④ 落ち着くまで見守る。
⑤ 服を脱いでいる行動を無視する。

正解 4

問題文は「Aさんが居室で急に服を脱ぎだしたときの介護福祉職の対応」とありますが、利用者が夜間徘徊《はいかい》をしている場面などと共通した内容ですので、「服を脱ぎだした」点にはとらわれすぎず、「**急に**」という点に注目してください。服を脱ぎだすなどの行為には、利用者にとって意味があると考え、意味を明確に把握する必要があることも理解しましょう。

これらを踏まえたうえで、利用者が「**急な行動**」をとっている場合に、いかに**安全**かつ**安心**して行動できるように過ごせるかという視点をもちながら、各選択肢の対応について考察してみましょう。そうすれば、批判的だととらえられてしまう対応などが「×」になると判断できます。

■選択肢別にみる介護福祉職の対応と利用者の受け取り方

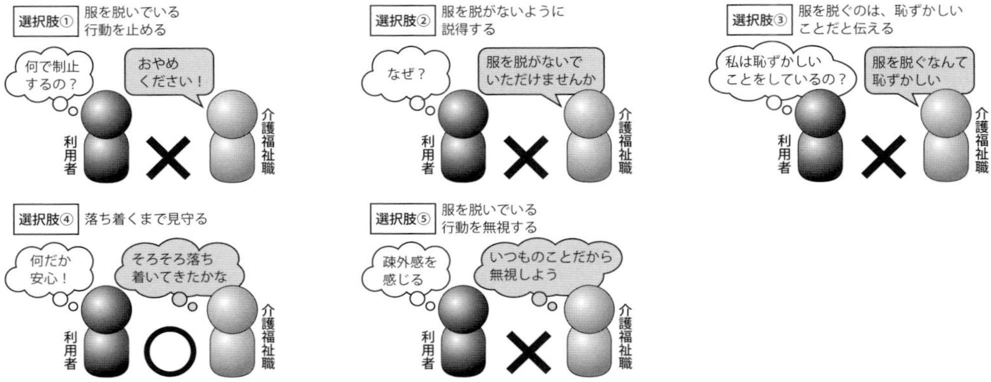

問題 3　該当科目　生活支援技術、こころとからだのしくみ

夫は体調が回復して退院した。その2日後、夫は施設を訪ねた。夫とAさんが廊下を歩いていると、Aさんは急にバランスを崩し、転倒して尻もちをついた。その時、手はつかなかった。

Aさんの状況から、最も骨折（fracture）しやすい部位として、適切なものを1つ選びなさい。

① 橈骨《とうこつ》　② 鎖骨　③ 上腕骨　④ 脊椎《せきつい》　⑤ 肩甲骨

正解 4

問題文の「転倒して尻もちをついた。その時、手はつかなかった」から、「バンザイをしながら尻もちをついた人」を想像してみましょう。地面と衝突したのは**臀部《でんぶ》のみ**であることが何となくわかり、臀部に近い部分の骨が折れた可能性が高いということも判断できると思います。**高齢者に多い骨折**を理解している方は、この時点で**脊椎《せきつい》圧迫骨折**の可能性がわかると思いますが、骨の名称と位置関係等を正確に理解していなくても、各選択肢の骨の名称から消去法で正解率を高めることは可能です。

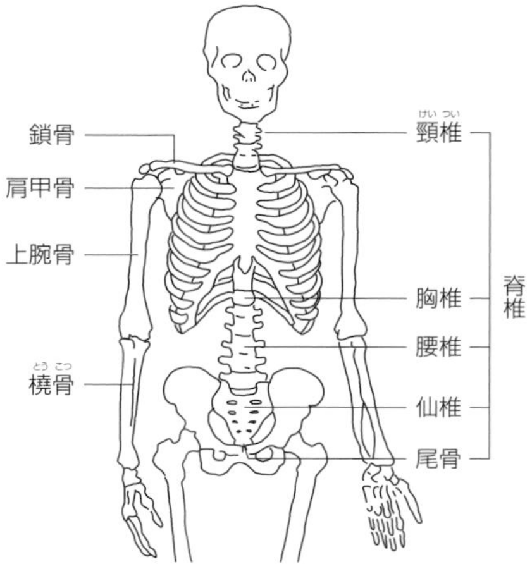

例えば、選択肢③には「**腕**」、選択肢⑤には「**肩**」という文字が含まれていることから、臀部に近い骨ではないと判断でき、この２点をマークせず、残りの３点に的を絞ることができます。

総合問題 2 Key Point

利用者の心身の状況に応じた留意点やコミュニケーションに関する内容が問われている。まずは、利用者の生活機能を把握する。情報を関連付けて利用者を理解することが大切である。

次の事例を読んで、問題４から問題６までについて答えなさい。

〔事例〕 Ｂさん（75 歳、男性、要介護 3）は、1 年前に脳梗塞（cerebral infarction）を発症し、右《みぎ》片麻痺《かたまひ》がある。自宅では、家具や手すりにつかまって、なんとか自力歩行し、外出時は車いすを使用していた。うまく話すことができないこともあるが、他者の話を聞き取って理解することは、問題なくできていて、介護保険サービスを利用しながら、一人で暮らしていた。数か月前から着替えや入浴に介助が必要になり、在宅生活が難しくなったため、1 週間前に介護老人福祉施設に入所した。

入所時の面談でＢさんは、自分の力で歩きたいという意思を示した。Ｕ介護老人福祉施設では、Ｃ介護福祉士をＢさんの担当者に選定した。Ｃ介護福祉士は、カンファレンス（conference）での意見に基づいて、Ｂさんが四点杖《よんてんづえ》を使用して、安全に施設内を歩行できることを短期目標とした介護計画を立案した。

問題 4　該当科目　生活支援技術、介護の基本

入所から２か月が経過した。Ｃ介護福祉士は、Ｂさんの四点杖歩行の様子を観察したところ、左立《ひだりりっ》脚相《きゃくそう》と比べて、右立脚相《みぎりっきゃくそう》が短いことが気になった。Ｂさんの短期目標を達成するために、理学療法士と相談して、転倒予防の観点から、見守り歩行をするときの介護福祉職の位置について、改めて周知することにした。

Ｂさんの四点杖歩行を見守るときに介護福祉職が立つ位置として、最も適切なものを１つ選びなさい。

① Ｂさんの右側前方　② Ｂさんの右側後方　③ Ｂさんの真後ろ
④ Ｂさんの左側前方　⑤ Ｂさんの左側後方

正解 2

杖歩行の介護をする際、介護福祉職は、**①利用者が歩行のバランスを崩しやすい側**、**②利用者の半歩～１歩後ろ側**に位置することがポイントです。片麻痺《かたまひ》の場合、利用者の**患側の半歩～１歩後方**に立ちます。患側に力が入らず、バランスを崩した時に倒れやすいためです。状況によっては、見守りだけでなく利用者の腰部や患側上肢等を下から支えるなどします。

入所２か月後のＢさんの歩行は、「左立脚相と比べて、右立脚相が短い」

とあります。立脚相とは、歩行における周期的な動作の1つで、**足底で床を踏み、体を支える時期**をいいます。右立脚相が短いとあるため、右足を床につきしっかりと体を支えることに何らかの困難があることが推察できます。

選択肢①⇒×　前方に位置すると、Bさんの歩行状態を常に観察できない可能性がある。介護福祉職は前方の**障害物にも注意を向ける**必要があり、後方に立つことで可能となる。

選択肢②⇒○　利用者の後方に位置することで、**バランスよく歩行できているか**を観察できる。

選択肢③⇒×　真後ろでは、Bさんの表情やBさんの前にある障害物を確認しづらい状況となる。

選択肢④、⑤⇒×　Bさんは右立脚相が短いことから、**バランスが崩れやすいのは右側**であることが推察できる。そのため、左側は不適切である。

問題5　該当科目　コミュニケーション技術、障害の理解、生活支援技術

C介護福祉職がBさんとコミュニケーションをとるための方法に関する次の記述のうち、最も適切なものを1つ選びなさい。

① 補聴器を使用する。　② 五十音表を使用する。　③ 手話を使う。
④ 大きな声で話しかける。　⑤ 「はい」「いいえ」で回答できる質問を中心に用いる。

正解 5　コミュニケーションが**どのようなプロセス**で行われているか、そして利用者にとって**どの部分が困難か**を考えましょう。利用者の特性に応じたコミュニケーションへの理解を深めることができます。

■コミュニケーションのプロセス

❶ 感覚レベル　聴覚・視覚等で情報を受ける
→ ❷ 認知レベル　情報を認識
→ ❸ 言語理解レベル　情報の意味を理解
→ ❹ 観念形成レベル　起こった思いや考えを形成
→ ❺ 言語表出レベル　形成された思いや考えを言葉にする準備をする
→ ❻ 構音レベル　発語により思いを伝える

Bさんは「右片《みぎかた》麻痺《まひ》」「うまく話すことができないこともある」「他者の話を聞き取って理解することは、問題なくできていて」とあり、⑤言語表出レベルに困難がある、**失語症**の可能性があります。

選択肢①⇒×　補聴器は、**難聴**の人などに対して聞こえをサポートする方法であり、言語表出レベルに困難さがあるBさんには不適切である。

選択肢②⇒×　五十音表の文字を理解する際は**言語知識**が必要である。失語症は一度獲得された言語知識が大脳の病変によって後天的に障害された状態でありBさんにとって不適切である。

選択肢③⇒×　手話は**失聴者**のコミュニケーション手段であり、失聴者ではないBさんにとっ

ては不適切である。

選択肢④⇒×　Bさんは**難聴**であるという情報はない。

選択肢⑤⇒○　相手の話は理解できるBさんにとって「はい」か「いいえ」で答えることは自分の意思を伝えることにつながる。「はい」「いいえ」で回答できる質問を「**閉じられた質問**」といい、失語症の方のなかでも運動性失語の人に適している。

失語症	運動性失語 （ブローカ失語）	・「理解面」よりも、「表出面」に低下がみられる ・他人の話すことは理解するが、話そうとすると言葉にならない	閉じられた質問、絵カードなどを活用する
	感覚性失語 （ウェルニッケ失語）	・「表出面」よりも「理解面」に低下がみられる ・他人の話すことを理解することが難しい	身振り（ジェスチャー）などを活用する

問題6　該当科目　介護過程、生活支援技術

入所から3か月後、C介護福祉士は、Bさんの四点杖《よんてんづえ》歩行が安定してきたことを確認して介護計画を見直すことにした。C介護福祉士がBさんに、今後の生活について確認したところ、居室から食堂まで、四点杖で一人で歩けるようになりたいと思っていることがわかった。

Bさんの現在の希望に沿って介護計画を見直すときに、最も優先すべきものを1つ選びなさい。

① 生活場面の中で歩行する機会を増やす。

② 評価日は設定しない。

③ ほかの利用者と一緒に実施できる内容にする。

④ 他者との交流を目標にする。

⑤ 歩行練習を行う時間は、出勤している職員が決めるようにする。

正解 1

介護過程の展開を通して目指すのは、利用者自身の**主体的な生活**と**自立支援**であることを常に意識しましょう。問題は介護計画の見直しに関する内容ですが、介護過程や介護計画・評価に関する基本的な理解が大切です。総合問題では、まず利用者の思いや考えなど主観的な情報に注目しましょう。

選択肢①⇒○　Bさんの短期目標は、介護計画の見直しにおいてもその支援は大切である。他の生活場面でも歩行する機会を持つことで、本人にとって**より良い状態像**に近づけることできる。

選択肢②⇒×　評価日とは、目標として設定された内容の達成度について評価をする期限をいう。介護計画の目標には**必ず評価日を設ける**。

選択肢③、④⇒×　Bさんは一人で食堂まで歩けるようになりたいという希望があり、「ほかの利用者と一緒に」や「他者との交流」は優先すべき内容として不適切である。

選択肢⑤⇒×　介護過程は利用者と介護福祉職との協同で行われ、利用者の**自己選択・自己決定**が大切である。職員が決めるのではなく、利用者の意志決定支援も含めた関わりが必要となる。

総合問題3 Key Point

①障害受容モデルを確認する、②事例と選択肢の整合性を確認する、③利用者の疾患・障害別の支援方法（特にコミュニケーション方法、移動支援、食事支援）を理解しておくことが正答への近道となる！

次の事例を読んで、問題7から問題9までについて答えなさい。

〔事例〕 Dさん（46歳、男性）は、1年前、事故が原因で全盲《ぜんもう》となった。失明当初は、自宅にひきこもってしまい、妻と離婚し、仕事も辞めてしまった。その後、なんとか元の自分の生活を取り戻したいと思い、総合リハビリテーションセンターを利用することとなった。Dさんは、最初、訓練に参加できない日もあったが、現在は少しずつ積極的な姿が見られるようになってきた。

問題7 該当科目 障害の理解、発達と老化の理解、介護の基本

現在のDさんの障害受容モデルに関する次の記述のうち、最も適切なものを1つ選びなさい。

① ショック期
② 否認期
③ 混乱期
④ 適応への努力期
⑤ 適応期

正解 4

上田敏《さとし》が定義した**障害の受容**について正しく理解することで答えを導き出しやすくなります。障害の受容は、大きく**5つ**に分かれた**段階的な過程**（ショック期、否認期、混乱期、適応への努力期、適応期）を進むという理論が一般的となっています。

選択肢①⇒× **ショック期**とは、受傷直後の状況であり、ショックを受けているが治療により回復するだろうと思っている段階である。

選択肢②⇒× **否認期**とは、障害が残るのではといった不安や自分には障害はないと拒否をする気持ちが働く段階である。

選択肢③⇒× **混乱期**とは、障害の告知を受け周囲に対して攻撃的になるといったことが起こる段階である。攻撃が自分に向けられると「自分が悪いのだ」と悲観的になり抑うつ症状が出ることもある。

選択肢④⇒○ **適応への努力期**とは、障害があってもできることがあると自分の価値を転換でき前向きな努力をする段階である。

選択肢⑤⇒× **適応期**とは、適応への努力期に耐え、「障害があってもできることがある」という新しい価値観をもって生活していく段階である。

問題8 該当科目 コミュニケーション技術、障害の理解、生活支援技術

Dさんとのコミュニケーションを図るためのセンターの介護福祉職の対応として、最も適切なもの

を１つ選びなさい。

① 話したり、手で触れたりしてコミュニケーションを図る。
② 読話を用いてコミュニケーションを図る。　③ 点字を用いてコミュニケーションを図る。
④ Ｄさんの話をうなずきながら聞く。
⑤ 「あれ」、「これ」という指示代名詞を用いてコミュニケーションを図る。

正解 1 ◎疾患・障害別のコミュニケーション方法を確認しておこう！

総合問題においても、**疾患・障害別のコミュニケーション方法**が問われる場合がよくあります。特に視覚障害と聴覚障害におけるコミュニケーション手段は出題されやすいため、しっかりと確認しておくことが大切です。その際は、**先天性障害**と**中途障害**によってコミュニケーション手段が異なる場合があることを忘れないようにしましょう。

■視覚障害と聴覚障害における主なコミュニケーション手段

視覚障害		聴覚障害	
点字	横２、縦３の６つの凹凸を指先の触覚で読み取る。**中途視覚障害の場合、点字を使いこなせない人も多い。**	手話	手の形・位置・動き等で意思を伝え合う。**中途失聴者の場合、手話が伝わらないことがある。**
パソコン	読み上げソフトを活用すると、入力した文字や画面の表示内容を音声で確認できる。	読話	話している相手の口の動きや表情から話の内容を読み取る。
拡大読書器	弱視の人に有効。ただし、視野障害の場合には読むスピードが遅くなり、文章全体の意味をつかみにくくなる。	筆談	紙等に話の内容を書いて意思を伝え合う。中途失聴者に有効だが、短時間で微妙なニュアンスを伝えにくいという欠点がある。

ここでは、中途視覚障害のある人とのコミュニケーション方法について問われています。以下、選択肢①～⑤の解答・解説を確認していきましょう。

選択肢①⇒○　視覚障害があるものの、発話でコミュニケーションを図ることは可能であると判断できる。話したり、時には手で触れたりしてコミュニケーションを図ることが望ましい。

選択肢②⇒×　失明しているＤさんは、**相手の口の動きや表情を見ることはできない**ので、**読話**でコミュニケーションを図ることはできない。

選択肢③⇒×　**中途視覚障害の早期の段階で点字を習得している人は少ない**。Ｄさんも「1年前、事故が原因で全盲《ぜんもう》となった」ばかりで、続く問題９で「徐々に（略）点字訓練（略）を行うことができるようになった」とあり、現時点では点字でのコミュニケーションは難しいと思われる。

選択肢④⇒×　介護福祉職がＤさんの話をうなずきながら聞いても問題はないが、**失明した**（**全盲**となった）Ｄさんにはその**「うなずき」が見えない**。最も適切な方法とはいえない。

選択肢⑤⇒×　「これ」「それ」「あれ」「どれ」等と言われても、失明した（全盲となった）Ｄさんにはわからない。視覚障害のある人には**「こそあど言葉」は避け**、**具体的に説明**する。

問題9　該当科目　障害の理解、生活支援技術

センターの介護福祉職のアドバイスなどもあり、Ｄさんは徐々に歩行訓練、日常生活動作訓練、点

字訓練、音声ソフトを導入したパソコンの訓練等を行うことができるようになった。また、D さんは、比較的早く、盲導犬と生活する訓練を受け、現在、盲導犬と一緒に自宅で生活することが可能になった。D さんがいつも相談に行っている地域活動支援センターの職員から盲導犬とその利用者への接し方について一般の人に話してほしいと依頼された。D さんが話す内容として、最も適切なものを 1 つ選びなさい。

① 盲導犬がそばにいれば困ることはないので、視覚障害者に話しかけないでほしい。
② 仕事中の盲導犬に声をかけて励ましてほしい。
③ 仕事中の盲導犬に水や食べ物を与えてほしい。
④ 盲導犬が通路をふさぐなどの困った行動をしていても、黙って見ていてほしい。
⑤ 盲導犬がハーネス（harness）をつけているときは、仕事中なので見守ってほしい。

正解 5

◎コミュニケーション支援に加え、移動支援や食事支援についてもおさえておこう！

視覚障害のある人への支援のうち、国家試験に出題されやすい内容は①**コミュニケーション支援**（点字やパソコンの活用、「こそあど言葉」を避けた具体的な伝達等）、②**移動支援**（ガイドヘルプ、白杖《はくじょう》や盲導犬、視覚障害者用誘導ブロックの活用等）、③**食事支援**（クロックポジションの活用等）となります。特にコミュニケーション支援と移動支援の 1 つである**ガイドヘルプ**は出題されやすいため、しっかりと学習しておく必要があります。ここでは、移動支援のうち**盲導犬**への接し方が問われています。以下、選択肢①～⑤の解答・解説を確認していきましょう。

選択肢①⇒×　盲導犬がそばにいても、視覚障害者が困ることが生じる場合もある。よって、視覚障害者に話しかけないでほしいと一般の人に伝えることは不適切である。

選択肢②⇒×　盲導犬にとって視覚障害者への移動支援が「仕事」となる。「仕事」中の盲導犬に対しては、その盲導犬が「仕事」に集中できるように関わる必要がある。盲導犬に声かけすることで**盲導犬の気がそれてしまう**ことがある。

選択肢③⇒×　「仕事」中の盲導犬に一般の人が水や食べ物を与えることで、**盲導犬が「仕事」に集中できなくなったり、体調を崩したりする**こともある。

選択肢④⇒×　盲導犬が通路をふさいでいる場合等は、その旨を視覚障害者に**丁寧かつ具体的に伝える**必要がある。

選択肢⑤⇒○　ハーネスは視覚障害者と盲導犬をつなぐものである。**ハーネスをつけている場合は、盲導犬が「仕事」中**であると認識してもらった上で、その間は盲導犬が「仕事」に集中できるよう見守ってほしいと一般の人に伝えることが重要である。

総合問題 4 Key Point

事例を読む前に問題・選択肢を下見し、何が問われているかを確認した上で事例を読む。これにより正答を導き出しやすくなる。ただし、基本的な疾病・障害や法制度を理解しておかなければ解けない問題もある。語呂合わせ等も活用しながら「覚えるべきことは覚える」を徹底しよう！

次の事例を読んで、問題 10 から問題 12 までについて答えなさい。

〔事例〕 E さん(25 歳、男性、障害支援区分 5)は、大学 2 年生の時、交通事故が原因で頸髄損傷《けいずい》(cervical cord injury)となった。現在は毎日、居宅介護を利用しながら、母親と生活している。

E さんは四肢麻痺《まひ》のため自分で体を動かすことができずに、多くの時間をベッドで過ごしている。リクライニング式車いすに移乗するときは、移乗リフトを使用している。E さんは、母親の腰痛が悪化していることを知っているので、母親に介助を頼むことを遠慮している。そのため、介護福祉職が来たときに、リクライニング式車いすに乗せてもらっている。E さんは車いすで座位になると、たびたび起立性低血圧で気分が悪くなる。

日中はマウススティックを使用して、パソコンで友人とメールのやり取りを楽しんでいる。最近はパソコン教室に週 1 回は通いたいと考えて、「長時間の外出時の移動の介護をお願いしたいがどうしたらよいか」と介護福祉職に相談した。

問題 10　該当科目　こころとからだのしくみ

E さんの現在の生活状況から、今後、発症する可能性が高いものとして、最も適切なものを 1 つ選びなさい。

①　てんかん(epilepsy)　②　仮面様顔貌《かめんようがんぼう》　③　構音障害　④　安静時振戦《しんせん》　⑤　褥瘡《じょくそう》

正解 5

◎事例を読む前に問題・選択肢を下見しよう！

総合問題では**事例を読む前に問題・選択肢を下見**し、どのような内容が問われているかを確認しましょう。事例でどのような点を確認すればよいのか指針を得ることができます。例えば、選択肢の 1 つに**「褥瘡」**があれば、「ベッド上で過ごす時間が多い」といった**廃用症候群**(生活不活発病)につながる内容の有無に着目しながら読み進めていけばよいことになります。そして事例の中に発見できれば、「褥瘡」について正答の可能性が出てくるわけです。

■事例問題を解く手順

1 問題・選択肢を下見する ➡ 2 1より事例を読む際の指針を得る ➡ 3 2に基づき、確認しながら事例を読む ➡ 4 3を踏まえ、問題を解く

選択肢①⇒×　てんかんは、**てんかん発作**を繰り返す脳の病気である。E さんは「交通事故が原因で頸髄《けいずい》損傷となった」ことは確認できるが、脳の病気については記載されていない。

選択肢②⇒×　仮面様顔貌とは仮面をかぶったように表情に変化がない顔つきのことを指し、**パーキンソン病でみられる症状の 1 つ**である。事例を読む限り、E さんにパーキンソン病はない。

選択肢③⇒×　構音障害は口唇、舌、軟口蓋《なんこうがい》等の**発語発声器官に支障**が生じ、上手く声を出せない状態をいう。事例を読む限り、E さんに口唇、舌、軟口蓋等の発語発声器官の障害はない。

選択肢④⇒×　**安静時振戦**はパーキンソン病の症状の１つで、身体を安静にしている時に生じる手足等のふるえを指す。事例を読む限り、Ｅさんにパーキンソン病はない。

選択肢⑤⇒〇　Ｅさんは自分で体を動かすことができず、多くの時間をベッドで過ごしている。この状態が続けば、今後、廃用症候群（生活不活発病）によって褥瘡を発症する可能性がある。

問題11　該当科目　こころとからだのしくみ、生活支援技術

Ｅさんがリクライニング式車いすで起立性低血圧を起こしたときの介護福祉職の対応として、最も適切なものを１つ選びなさい。

①　背もたれを倒す。　②　頭部を冷やす。　③　体温を測る。
④　衣服を調節する。　⑤　ベッドへ移乗する。

正解 1

事例問題を解く際は、①主人公は誰か、②疾病・障害、③現在の日常生活動作（ADL）、④介護保険制度や障害者総合支援法の対象か、⑤場面設定を確認しておく必要があります。そのうち、②の疾病・障害については、**特徴・特性や支援する際の留意点**についても理解しておかなければ、正答を導き出せないケースもあります。特に糖尿病、認知症、脳血管障害、脊髄《せきずい》損傷、脳性麻《ま》痺《ひ》、統合失調症、高次脳機能障害、関節リウマチ、ダウン症候群、自閉症スペクトラム障害、筋萎縮《いしゅく》性側索《そくさく》硬化症（ALS）については事例問題で出題されやすいため、しっかりと学習しておきましょう。ここでは、頸髄損傷による四肢麻痺で体を動かせない利用者が**リクライニング式車いす**の使用で起立性低血圧を起こした際の対応が問われています。

選択肢①⇒〇　起立性低血圧は急に身体を起こした時に血圧が下がり、脳に十分な血液が運ばれず、発生する。したがって、起立性低血圧を起こした際にはリクライニング式車いすの**背もたれを倒し、脳への血流を促す**対応が望ましい。

選択肢②⇒×　発熱しているわけではないため、頭部を冷やす必要はない。

選択肢③⇒×　起立性低血圧は急に身体を起こした時に血圧が下がって発生するため、体温を測るという対応は最も適切とはいえない。

選択肢④⇒×　起立性低血圧は衣服を調節したからといって、症状が改善するわけではない。

選択肢⑤⇒×　介護福祉職の支援で車いすに乗ることができたのに、またベッドに移ることは**Ｅさんの意欲を低下させてしまう**おそれがある。Ｅさんの活動範囲をベッドに限定させてしまうことにもなりかねないため、最も適切な対応とはいえない。

問題12　該当科目　社会の理解

介護福祉職は、Ｅさんがパソコン教室に通うことができるように、相談支援専門員にサービス等利

用計画の変更を相談したいと考えている。E さんが利用できるサービスとして、最も適切なものを 1 つ選びなさい。

① 同行援護
② 行動援護
③ 重度訪問介護
④ 生活介護
⑤ 成年後見制度利用支援事業

正解 3

◎障害者総合支援法も手を抜くことなく学習を！

総合問題には**障害者総合支援法**に関する内容も多く出題されています。なかには、サービス内容を理解しなければ分からない問題もあります。特に**介護給付**と**訓練等給付**が出題されやすいため、どのようなサービスがあるのか、内容や対象も含めて確認しておきましょう。その際、**語呂合わせ的に覚える**のも有効です。例えば、同行援護と行動援護は間違いやすいため、目には瞳孔《どうこう》がある⇒だから⇒同行《どうこう》援護は視覚障害者が対象というようにです。法制度の学習といえば介護保険制度に偏りがちですが、障害者総合支援法についても計画的にコツコツと学習することが重要です。

■障害者総合支援法における介護給付と訓練等給付

介護給付	・居宅介護　・重度訪問介護　・同行援護　・行動援護　・重度障害者等包括支援 ・短期入所（ショートステイ）　・生活介護　・療養介護　・施設入所支援
訓練等給付	・自立訓練（機能訓練・生活訓練）　・就労移行支援　・就労継続支援（A 型・B 型） ・就労定着支援　・共同生活援助（グループホーム）　・自立生活援助

ここでは、障害支援区分 5 の利用者がパソコン教室に通うために利用できるサービスについて問われています。以下、選択肢①～⑤の解答・解説を確認していきましょう。

選択肢①⇒×　同行援護は、視覚障害で移動に著しい困難を有する人に対して、**移動に必要な情報の提供**（代筆・代読を含む）や**外出支援**を行う。E さんに視覚障害はない。

選択肢②⇒×　行動援護は、知的障害や精神障害等で判断能力が低下している人が行動する際、**危険を回避するために必要な支援や外出支援**を行う。E さんは当てはまらない。

選択肢③⇒○　重度訪問介護は、重度の障害者であっても住み慣れた地域で在宅生活を継続できるよう、日常生活全般の介護を行う。身体介護や家事支援以外にも外出支援や移動中の介護等も提供する。E さんには四肢麻痺《まひ》があり、障害が重度（障害支援区分 5）であるため、重度訪問介護を利用することが望ましい。

選択肢④⇒×　生活介護では、**障害者支援施設**等で常に介護が必要な人に対して、主に昼間、**入浴・排泄《はいせつ》・食事等の介護**や創作的活動の機会等を提供する。つまり、E さんの自宅からパソコン教室に通うために利用できるサービスではない。

選択肢⑤⇒×　成年後見制度利用支援事業は、**認知症や知的障害等で判断能力が不十分な人**に対し、制度の利用を支援するため、費用を助成するものである。E さんに判断能力の低下はない。

試験に関する情報（出題範囲など）は、変更される場合がありますので、受験される方は、事前に必ずご自身で社会福祉振興・試験センターの発表する最新情報を確認ください。

公益財団法人 社会福祉振興・試験センター
ホームページ https://www.sssc.or.jp/
〒150-0002 東京都渋谷区渋谷 1-5-6 SEMPOS ビル
試験情報専用電話番号 03-3486-7559
（音声案内、24 時間対応）
試験室電話番号 03-3486-7521
（土曜・日曜・祝日を除く 9 時～ 17 時）

本書の正誤情報等は、下記のアドレスでご確認ください。
http://www.s-henshu.info/kfct2408/

上記掲載以外の箇所で正誤についてお気づきの場合は、**書名・発行日・質問事項（該当ページ・行数・問題番号**などと**誤りだと思う理由）・氏名・連絡先**を明記のうえ、お問い合わせください。

・web からのお問い合わせ：上記アドレス内【正誤情報】へ
・郵便または FAX でのお問い合わせ：下記住所または FAX 番号へ

※電話でのお問い合わせはお受けできません。

［宛先］コンデックス情報研究所
「介護福祉士直前対策 '25 年版」係
住　所：〒359-0042 所沢市並木 3-1-9
ＦＡＸ：04-2995-4362（10:00 ～ 17:00　土日祝日を除く）

※**本書の正誤以外に関するご質問にはお答えいたしかねます。**また受験指導などは行っておりません。
※ご質問の受付期限は、2025 年の筆記試験の試験日の 10 日前必着といたします。
※回答日時の指定はできません。また、ご質問の内容によっては回答まで 10 日前後お時間をいただく場合があります。
あらかじめご了承ください。

改訂執筆代表：福田　明　松本短期大学介護福祉学科教授
品川智則　東京 YMCA 医療福祉専門学校専任教員
編著：コンデックス情報研究所
1990 年 6 月設立。法律・福祉・技術・教育分野において、書籍の企画・執筆・編集、大学および通信教育機関との共同教材開発を行っている研究者・実務家・編集者のグループ。

スピード合格！ 介護福祉士直前対策 '25年版

2024年11月1日発行

編　著　コンデックス情《じょう》報《ほう》研《けん》究《きゅう》所《しょ》
発行者　深見公子
発行所　成美堂出版
〒162-8445　東京都新宿区新小川町1-7
電話(03)5206-8151 FAX(03)5206-8159
印　刷　株式会社フクイン

ISBN978-4-415-23902-6
落丁·乱丁などの不良本はお取り替えします
定価は表紙に表示してあります